신 여 성 통 권 제2호
다 시 읽 기

신여성 통권 제2호 다시 읽기(제1권 제2호)

발　행 | 2024년 2월 29일
저　자 | 개벽사
역　자 | 한요진
펴낸이 | 한건희
펴낸곳 | 주식회사 부크크
출판사등록 | 2014.07.15.(제2014-16호)
주　소 | 서울특별시 금천구 가산디지털1로 119 SK트윈타워 A동 305호
전　화 | 1670-8316
이메일 | info@bookk.co.kr

ISBN | 979-11-410-7384-8

www.bookk.co.kr

월간잡지

신여성 통권 제2호
다시 읽기

개벽사 저
한요진 역

11월호(十一月號)

제1권(第壹卷) 제2호(第貳號)

부크크

<번역에 사용한 참고자료 목록>
- 네이버 국어사전·일어사전·한자사전
- 한국민족문화대백과사전
- 국사편찬위원회: 한국사데이터베이스
- 국립중앙도서관
- 네이버 신문 아카이브
- 부인·신여성 3권 p. 23~28. '7. 주요 필진'(케포이북스, 2009)
- 고려대학교도서관 한적실 소장자료 新女性 01권02호/開闢社(1923)

※ 한자어 중 사전에 없는 단어는 한자의 뜻과 음을 적어두었습니다.
※ 일부 옛말은 현대어를 찾지 못하거나 뜻을 유추하지 못하여 원어 그대로 표기하였습니다.
※ 이 책은 잡지 '신여성'에 실린 글만 현대 국어로 정리하였습니다. 원서에 수록된 그림·사진 등은 해당 도서에서 제외되었으니, 해당 자료가 필요한 분께서는 '신여성' 영인본을 참고하시기 바랍니다.

<역자 소개>
한요진(韓燿縉)
문화학 박사. 작가, 코스튬플레이 아티스트.
역서: (다시 읽는) 신여성 창간호(2023, 부크크)
저서: 독립출판 비밀 노트, 당신도 작가의 꿈을 이룰 수 있다!(2024, 부크크)
　　　대나무 숲 푸른 바람(2023, 부크크)
　　　코로나19와 함께 한복, 코스프레(2022, 부크크)
　　　나의 코스프레 철학 탐구(2021, 부크크)
전시: 전태일기념관 제2회 시민공모전 평화를 준수하라 참여(2023)
　　　온고ing전 참여(2022)

독자(讀者) 여러분의 글을 습집(拾集)[1] 합니다.

◎ 즐거웠던 정월(正月) 이야기

여러분은 누구나 다 근 20회(近二十回) 또는 20회 이상의 재미있는 정월을 보내셨을 것입니다. 그리고 그 지나간 정월은 여러분의 연수(年數)가 늘어갈수록 더 재미있고 행복(幸福)된 추억(追憶)이 될 것입니다.

겨울이 오고 또 새해가 가까워오니 즐거운 정월 눈 오는 밤을 지나간 정월의 생각 깊은 이야기로 즐겁게 보내기로 하십시다.

여러분의 금년(今年)까지에 제일(第一) 즐거웠던, 제일 기뻤던, 또는 혹시(或時) 제일 슬펐던 정월의 이야기를 써 보내주십시오(일기(日記)도 좋습니다). 좋은 것은 추려서 신여성(新女性) 정월호(正月號)에 내어드리고 내인 것에는 약간의 예(禮)를 표하겠습니다.

1행 23자(一行二十三字) 80행 이내(八十行以內) 기한 11월 30일(期限十一月三十日)

◎ 내가 바라는 일

여러분이 바라시는 일은 한두 가지가 아니겠지요. 부형(父兄)에게 바라는 일, 학교(學校)에 바라는 일, 동무에게 바라는 일, 사회(事會)에 바라는 일, 운명(運命)의 신(神)(?)께 바라는 일 또는 남편(男便)에게 바라는 일, 또는 혹시 남학생(男學生)에게 바라는 일까지라도 있을 것입니다. 그중에 제일(第一) 절실(切

---

[1] 습집(拾集): 하나하나 주워 모음.

實)히 바라는 일을 써 보내주십시오. 꾸미지 않고 실감(實感)을 솔직(率直)하게 써 보내주신 것만 추려서 신여성에 내이고 약간(若干)의 예(禮)를 표(表)하겠습니다.

　1행 23자(一行二十三字) 60행 이내(六十行以內) 기한 11월 30일(期限十一月三十日)

　두 가지 다 피봉(皮封)2)에 개벽사(開闢社) 신여성(新女性) 편집실(編輯室)이라 쓰시고 주소(住所)와 씨명(氏名)을 자세히 써 보내십시오.(잡지(雜誌)에는 씨명(氏名)을 숨겨드리기도 하겠습니다.)

---

2) 피봉(皮封): 봉투의 겉면.

❀ 신여성(新女性) 제2호(第貳號) ❀

목 차

---

3) 소화(笑話): 우스운 이야기를 함. 또는 그 이야기.

-6대 특별 독물(六大特別讀物)-

◎ 소녀애화(少女哀話) 낙엽(落葉) 지는 날: 늦은 가을 쌀쌀한 저녁, 나뭇잎은 덧없이 지는데 세상(世上)에도 불쌍한 일소녀형제(一少女兄弟)의 담화(談話)는 읽는 이의 가슴을 울리지 않고는 마지아니합니다.

◎ 백일홍(百日紅) 이야기: 가을까지 피어있는 백일홍꽃. 그는 활옷 입고 족두리 쓰고 백일(百日)이나 울고 서있는 불쌍한 신부(新婦)였습니다. 불쌍한 이 백일홍 이야기를 들으십시오.

◎ 사진소설(寫眞小說) 영호(英浩)의 사정: 가련(可憐)한 고학생(苦學生) 영호(英浩)는 갈 곳 잘 곳이 없는 소년(少年)이었습니다. 그의 불쌍한 사정을 활동사진(活動寫眞) 같이 박아 놓은 사진소설입니다.

◎ 쉬운 연극(演劇) 토끼의 재판: 소년회(少年會), 소학교(小學校), 여학교(女學校), 학예회(學藝會) 아무데서 누구나 하기 쉬운 재미있는 연극 각본입니다.

◎ 비행기(飛行機) 이야기: 그 집채만 한 비행기가 어떻게 그렇게 떠오르나 그것을 알기 쉽게 설명한 유익한 이야기.

◎ 역사동화(歷史童話) 유리(類利) 이야기: 누구나 알아야 할 우리 역사(歷史), 고구려(高句麗) 때 이야기를 재미있게 써 놓

은 역사(歷史) 동화(童話).

대 현상(大 懸賞4))
문제(問題)와 발표(發表)

발표

○ 나의 소원(작문(作文))

○ 몽중인(夢中人)의 발표 새 문제

○ 수수께끼 두 가지

○ 소설(小說) 맞추기

정가(定價) 우세(郵稅)까지 일책(一冊) 단(單) 십전(拾錢)

개벽사(開闢社)

경성(京城) 경운동(慶雲洞) 진경(振京) 8106(八一○六)

---

4) 현상(懸賞): 무엇을 모집하거나 구하거나 사람을 찾는 일 따위에 현금
이나 물품 따위를 내걺. 또는 그 현금이나 물품.

구회사진(口繪寫眞)

눈물 젖은 바느질 숙명여자고등학교(淑明女子高等學校) 와 여자고등학교의 운동회(運動會) 각(各)경기사진(競技寫眞) 오엽(五葉)

◆ 꽃같이 · 나비같이

10월 22일(十月二十二日) 가을볕 따뜻이 비추는 날, 서울숙명여학교에는 그 운동장에 추계운동회가 있었습니다. 앞뒷문 잠가 걸고 학부형과 학생 뿐만의 그야말로 아가씨 소꿉질같이 오붓하고 탐탁한5) 운동회였습니다.

   □ 상(上)은 본과(本科) 4년(四年)의 칠석(七夕)놀이
   □ 하(下)는 동3(소三)의 댄스

◆ 쾌하게 · 즐겁게

경성여자고등보통학교(京城女子高等普通學校)의 운동회는 11월 3일(十一月三日)에 그 학교 부속보통학교에 열렸는데 날이 흐린 날이었으나 학생(學生)도 많거니와 학생(學生) 모자(母姉)와 내빈(內賓)이 많고 경기종목(競技種目)이 많아서 크게 성황

---

5) 탐탁하다: 모양이나 태도, 또는 어떤 일 따위가 마음에 들어 만족하다.

(盛況)이었는데 이번 운동회(運動會)는 그 학교 창립(創立) 후
(後) 처음이라 합니다.

　□ 상(上)은 본과(本科) 일년(一年)의 줄다리기
　□ 중(中)은 사백(四百)미터 경주(競走)의 스타트
　□ 하(下)는 전교학생(全校學生) 체조(體操)

◆ 눈물 젖은 바느질

　동경진재6)가 어떻게 참담하였던 것은 다시 말씀할 일도 못
되거니와 그중에도 남들은 서로 찾고 위로하는 가족 지친7)이
있건만 머나먼 타역에 혈혈단신이 외롭게, 외롭게 갖은 고초를
겪게 된 조선 사람들처럼 더 참담한 고생을 하는 사람이 또 있
었겠습니까. 그들을 위하여 피 끓는 정성으로 서울·진명·숙
명 고등여자의 세 학교 학생들은 사흘 낮, 사흘 밤을 이어서
조선 솜옷 천여 벌을 지어 동경으로 보내었습니다. 이 옷을 짓

---

6) 진재(震災): 지진으로 생긴 재해. 여기서는 관동대지진(간토대학살, 도
쿄진재)을 의미한다. 1923년 9월 1일 일본 간토, 시즈오카 지방에서
일어난 대지진으로 12만 가구의 집이 무너지고 45만 가구가 불탔으며
사망자와 행방불명이 총 40만 명에 달했다. 일본 정부의 사태 수습이
혼란으로 심해지자, 일본인의 불만을 돌리려고 한국인과 사회주의자들
이 폭동을 일으키려 한다는 소문을 조직적으로 퍼뜨렸다. 이에 일본
자경단과 관헌에 의해 무고한 한국인이 약 6천 6백여 명 살해당했다.
그 뒤 자경단은 형식상 재판에 회부되어 증거불충분으로 모두 석방되
었다.
7) 지친(至親): 매우 가까운 친족. 아버지와 아들, 언니와 아우 사이를 이
르는 말이다.

는 데는 어리고 어린 학생들까지 빠지지 아니하고 자진하여 바늘을 들어 동포를 생각하는 정성과 위로하는 정을 표하였다 하며, 그중에는 이 옷을 지으면서 우는 학생들이 많았다 합니다.

　□ 숙명여학교 학생들의 바느질
　□ 진명여학교 학생이 지어 쌓은 옷

11월(十一月)

-신여성(新女性)-

입동(立冬) 8일(八日)

소설(小雪) 23일(二十三日)

공자(孔子) 탄일(誕日) 4일(四日)

독일(獨逸) 황제(皇帝) 퇴위(退位)[8] 28일(二十八日)

달 력[9]

25	18	11	4		일(日)
26	19	12	5		월(月)
27	20	13	6		화(火)
28	21	14	7		수(水)
29	22	15	8	1	목(木)
30	23	16	9	2	금(金)
	24	17	10	3	토(土)

---

8) 독일의 황제이자 프로이센의 왕인 빌헬름 2세가 1918년 11월 28일 퇴위당하고 독일은 공화국으로 바뀌었다.

9) 원 표기: 칠요표(七曜表): [일본어] しちようひょう. 달력.

세상(世上)에 나온 목적(目的): 이돈화(李敦化)

여러분, 여러분이 이 세상에 나온 목적이 무엇입니까? 만일 (萬一) 여러분에게 누가 묻기를 당신(當身)은 무슨 목적으로 이 세상에 나왔는가 하면, 여러분은 이렇다 대답(對答)할 확실(確實)한 신조(信條)가 무엇입니까?

여러분, 여러분이 이 세상에 나온 목적은 여러분의 지력(知力)으로 확실한 답변(答辯)을 못할 뿐만 아니라 여러분이 승배(崇拜)하는 모든 어진 이들도 또한 일치(一致)한 해답이 없으리라 믿나니, 이것이 우주(宇宙)의 무궁(無窮)이며 인생(人生)의 신비(神祕)라 하는 것입니다. 여러분, 우주는 무궁하고 인생은 신비입니다. 이 까닭에 종교(宗敎)가 나고, 철학(哲學)이 나고, 도덕설(道德設)이 있어 우리에게 가지각색의 교훈(敎訓)을 일러주게 되었습니다. 따라서 인생의 목적을 여러 가지로 가르치게 되었습니다.

여러분, 그러나 속지 마시오. 과거(過去)의 모든 이들이 우리에게 가르쳐준 교훈 가운데는 태반(太半)은 허위(虛僞)입니다. 태반은 처변(處變)10)과 수단(手段)입니다. 일시적(一時的)이며 주관적(主觀的)입니다.

여러분, 그러나 한 가지 진실(眞實)된 일이 있나니, 그는 무엇이냐 하면 자기(自己)의 개성(個性)이라는 것입니다. 자기의

---

10) 처변(處變): 실정에 따라 융통성 있게 잘 처리하여 감.

개성 존재(存在)는 무엇보다도 허위가 아니며, 무엇보다도 작란(作亂)11)이 아니며, 무엇보다도 처변과 수단이 아닙니다. 개성의 존중(尊重)을 아는 곳에 진실한 생활을 알고, 인생을 알고, 우주를 알고, 신비를 알고, 종교와 도덕을 아는 것입니다.

여러분, 개성이라 하는 것은 별(別)것이 아닙니다. 여러분이 이제껏 하여온 모든 생(生)의 욕(欲) 속 힘이 없는 생의 욕, 내적(內的)으로부터 요구(要求)하는 체면(體面) 없고 인사(人事) 없는 적나라(赤裸裸)한 여러분 내심(內心) 가운데서 하고픈 일의 욕, 그것입니다.

여러분, 세상(世上)이라는 것은 체면 보고 인사보다 여러분의 내적 요구인 이 개성의 자유(自由)를 막는 자(者)입니다. 마치 정원(庭園)의 수목(樹木)을 원주(園主)12)가 보기 좋게 가위로 자르고 기계(器械)로 다듬어 자유의 성장(成長)을 막음과 같이 여러분이 내적으로 잇는 개성은 세상이라 하는 원주가 자기의 사용(使用)하기 좋도록 함부로 잘라놓은 병적(病的) 개성입니다.

여러분이 현재(現在)의 병적 개성을 벗어버리고 깊이 내면(內面)에 묻혀있는 진실한 본래성(本來性)을 찾는 것이 이른바 신여성(新女性)이라는 것입니다. 아니 신남성(新男性)도 될 수 있으며 신인성(新人性)도 될 수 있는 것입니다.

---

11) 작란(作亂): 난리를 일으킴. 혹은 장난의 의미이나 표준어는 '장난'하나만 삼음.
12) 원주(園主): 정원 따위의 임자.

여러분이 이 신여성을 개척(開拓)하는 방법(方法)은 무엇일까요. 그는 대단(大段)히 어려울 문제입니다. 불입호혈(不入虎穴)이면 부득호자(不得虎子)[13]라 하는 고인(古人)의 말과 같이 여러분이 이 신여성을 찾고자 하면 한번 함지사지(陷之死地)[14]의 지경에 이르지 아니하면 안 됩니다. 달리 말하면 한번 죽었다가 거듭나지 않으면 안 됩니다. 명예심(名譽心)을 죽이고 체면을 죽이고 여성으로의 모든 수치(羞恥)를 죽이고 적나라히 세상에 나서야 됩니다. 이것이 거듭나는 방법입니다. 「함지사지후출생(陷之死地後出生)」[15]이라는 것입니다.

여러분 (이하 5줄 삭제, 此間五行削)

여러분, 이것이 인생의 목적입니다. 이것이 영생(永生)의 목적입니다. 여러분이 살면 천년(千年)이나 만년(萬年)이나 살 줄로 믿습니까. 아무리 하여도 인생 칠십(七十)이라 하는 방한(防限)[16]을 넘기지 못할 바에는 참된 일을 위(爲)하여 참된 도리(道理)를 위하여 싸우고 겨루는 속에서 이 생명(生命)이 끊어진다 하면 이 생명이야말로 영원(永遠)의 생명입니다. 인생의 목적(目的)입니다.

---

13) 불입호혈 부득호자(不入虎穴 不得虎子): 호랑이 굴에 들어가지 않고는 호랑이 새끼를 잡을 수 없다.
14) 함지사지(陷之死地): 목숨이 위태로운 처지에 빠짐.
15) 함지사지후출생(陷之死地後出生), 함지사지연후생(陷之死地然後生): 사지(死地)에 빠진 후(後)에야 살아남을 수 있다.(출전: 손자병법)
16) 방한(防限): 일정한 정도나 범위 등을 넘지 못하게 막아서 제한함.

문제(問題) 중(中) 문제 되는 남녀간(男女間)의 교제(交際)는 어떻게 할 것인가: 김기전(金起瀍)

□ 선녀(仙女)·천사(天使)·견우(牽牛)·직녀(織女)·남녀유별(男女有別)

남자(男子)란 게 대체(大體) 무엇이며, 여자(女子)란 게 대체 무엇일까. 어찌하여서 여자들은 그렇게도 남자를 이상(異常)하게 생각하며, 남자들은 그렇게도 여자를 이상하게 생각할꼬. 사람들은 때로 여자를 가리켜 **선녀(仙女)**라 하며, **천사(天使)**라 한다. 선녀나 천사는 다 같이 인간(人間) 세상(世上)을 떠나서 구천구만 리(九天九萬里)의 구름 사이에 나는 무엇을 가리킴이 아니냐. 자기 집 안방이나 또는 건넌방, 또는 이웃집에 있는 여자 그들을 생각하되, 구천구만 리의 구름 밖에 나는 이로 생각한다 함은 사실(事實) 너무나 이상한 생각들이 아닐까.

오히려 부족(不足)하여, 또 한 번 대서특서(大書特書)[17]하여 가로되, **남녀유별(男女有別)**이라 하였다. 남녀 간 상거(相距)[18]는 또 한 번 뚝 떨어져 구천구만 리의 그 사이보다 더 멀어졌다. 구천구만 리는 지금 세상으로써 보면 비행기(飛行機)나 타면 능(能)히 교통(交通)할 수나 있을 것이나, 남자 여자 간의

---

17) 대서특서(大書特書): 특별히 두드러지게 보이도록 글자를 크게 쓴다는 뜻으로, 신문 따위의 출판물에서 어떤 기사에 큰 비중을 두어 다룸을 이르는 말.
18) 상거(相距): 서로 떨어짐. 떨어져 있는 두 곳의 거리.

교통에는 이도 저도 할 수가 없다. 자못[19] 장가들고 시집간다는, 즉(卽) 혼인(婚姻)이라는 창(窓)구멍보다도 좁은 한줄기의 길이 있어 수다(數多)한 남자와 여자는 그 길로 연(緣)[20]해서 겨우겨우 한 사람씩(式)과의 교제(交際)를 트게 되었다. 마치 은하(銀河)의 동북(東北)쪽에 있는 직녀성(織女星)과 은하의 서남(西南)에 있는 견우성(牽牛星)이 동서(東西) 천만리(千萬里)를 격(隔)[21]해두고서, 1년(一年) 365일(三百六十五日) 중(中) 칠월 칠석(七月 七夕)이라는 단(單) 하룻저녁만을 오작교(烏鵲橋)를 건너서 만나는 것과 한가지이다. 자못 다른 것은 직녀성과 견우성은 그렇게 어렵게 만나서일지라도, 그 이튿날은 곧 손을 나누어 흩어지는데, 사람이란 남녀(부부) 이것들은 한번 만나면 죽을 때까지 떨어질 줄 모르는 그 한가지이다.

이전 말에, 남자와 여자는 일곱 살만 되거든 자리를 같이하지 말라 하였다. 비록 오빠, 누이의 사이일지라도 일곱 살만 되거든 딱 갈라서야 쓴다는 말이다. 적어도 그 사이는 하늘과 땅 사이만큼 멀어져야 쓴다는 말이다.

■ 혼인·축첩·간음·성교

다시[22] 한번 말하면, 지금까지의 사람들은 남자라 하고, 여자라 하는 그것을 서로서로 이상하게 보아왔었다. 이상하게 보

---

19) 자못: 생각보다 매우. 꽤, 매우, 썩.
20) 연(緣): 인연 연
21) 격(隔)하다: 시간적으로나 공간적으로 사이를 두다.
22) 원 표기: 되

는 그 밑에서 남자와 여자와의 교제를 할 수 있는 대로는 절약(節約)하려고 하였다. 더구나 우리 조선(朝鮮) 같은 나라에서는 남녀 간의 교제를 아주 허(許)치 않고 말았었다. 자못 혼인이라 하는 한 가지의 절차(節次)를 디디어서 어떤 남자(특정 남자)와 어떤 여자(특정 여자)와의 교제를 허한 밖에는 다시 아무러한 길도 열어주지 아니했었다. 사람의 친(親)함이 형제(兄弟)밖에 없다 하는 그 사이에서도 그 형제가 남녀(오빠, 누이)로써 되었으면, 역시(亦是) 교제를 할 수가 없었었다. 이 밖에 일반(一般) 남녀(불특정 남녀)에 대(對)한 것이야 말해 무엇하리오.

근래(近來)에는 **가택침입죄(家宅侵入罪)**라는 것이 있어 법률의 힘에 의지치 아니하고 무단히 남의 집 문 안에 들어가면 곧 죄가 되는 것이나, 그전에는 **내정[23]돌입(內庭突入)**이라는 말이 있어 주인의 허가(許可) 없이 남의 집 내정에 들어가면, 곧 내정돌입죄가 되었다. 그런데 이 **내정돌입죄**는 오늘의 **가택침입죄**와 같이 그 집의 전체에 대한 무슨 침해(侵害)를 형벌(刑罰)함이 아니오, 그 집의 내정에 있는 부녀(婦女)를 욕(辱)한 그것을 형벌함이었다. 다시 말하면 남녀가 유별한데, 왜 남의 부녀들이 있는 내정에 침입(侵入)하였느냐 하는 벌(罰)이다. 이와 같이 사람을 남자와 여자로 딱 갈라놓고, 여자는 안에 두고, 남자는 밖에 있게 하여서 내외를 엄격(嚴格)히 시키되, 여자로서 부득이 밖에 나아갈 때에는 **장옷**이나, **삿갓**이나, 또는 **수건**을 써 그 얼굴을 다른 사람에게 뵈지 않도록 하였다.

---

23) 내정(內庭): 부녀자가 거처하는 곳을 점잖게 이르는 말.

결국 말하면, 종래(從來)의 우리 조선 사람 된 이들은 남자나 여자나 할 것 없이 자기(自己)가 땅 위에 생겨나서 다시 땅속으로 들어갈 때까지 남자는 한 사람의 여자(처) 이외(以外)에, 여자는 한 사람의 남자(부) 이외에 다시는 더 교제할 수가 없었다. 자못 남녀 중의 어떤 자(者)들은 처(妻)라는 것을 얻어서 한 사람 이상(以上)의 여자와 교제할 수가 있었을 뿐이다.

이 세상의 사람 수(數)가 이천만(二千萬)이라 하면, 남자가 천만(千萬), 여자가 천만이다. 이 천만의 남자 중에서 단 한 사람의 남자와만 교제하고, 그 밖에 남자에게는 눈도 주지 말아라. 또는 이 천만의 여자 중에서 단 한 사람의 여자와만 상종(相從)하고, 그 밖에 여자에게는 말도 건네지 말아라. 이것이 도저히 될 일이 아니다. 사실로 능치 못할 일이다. 제아무리 중문(中門)을 굳이 닫고, 집 담을 높이 쌓고, **정문**을 높이 세우고, **수건**을 둘러씌울지라도, 제아무리 법률(法律)로 어찌하고, 도덕으로 어찌한다 할지라도 도저(到底)히 될 일이 아니다. 제고집(固執) 세워가기로 유명(有名)한 남자 편의 축들은 일찍이 첩(妾)이라는 명목(名目) 밑에서 한 사람 이상의 여자를 친(親)하였었다. 첩을 둘 형편(形便)이나 또는 첩으로 되어갈 형편이 못 되는 적지 아니한 남자와 여자들은 벌써 간음(姦淫)이라는 이름 밑에서 한 사람 이상의 여자 또는 남자를 친하였었다. 법률이면 어찌하며, 도덕이면 어찌하랴. 그들은 벌써 이렇게 저렇게 자기의 하고 싶은 것을 하고 있는 것을. 특정(特定)한 남녀 사이에 뿐 교제를 허하던 옛 도덕의 옛 관습(慣習)의 결말(結末)이 대개 이러한 것이니라 하면 그만이다.

남녀 간의 교제라 하면 사람들은 문득 성적(性的) 관계(關係)를 연상(聯想)한다. 내가 여태껏 써놓은 것으로써 보아도 남녀 간의 교제란 곧 성적 관계를 설명(說明)한 것 같이 되었다. 이것이 여태까지의 사람들의 남녀관(男女觀)이란 것이다. 달리 말하면, 남녀라 하면 문득 성교(性交)를 생각하는 것이 오늘 세상 사람의 남자가 여자에 대한 생각이며, 여자가 남자에 대한 생각이란 말이다. 성교, 그것을 떠나서는 다시는 남녀 간의 교제가 없다 한 것이 여태까지 우리들이 가진 생각이었다. 남녀 간의 사무적(事務的) 교제, 여기에서 한 걸음 나아가 남녀 간의 인격적(人格的) 교제, 다시 말하면 엄정(嚴正)한 의미(意味)에서의 성적 교제와 같은 것은 생각도 못 했었다. 이것도 역시 남녀 간의 일반적(一般的) 교제를 금(禁)하고, 어떤 특정한 남녀(부처)뿐에 한(限)하여, 남녀 간의 교제를 허한 결과(結果)가 어쩌면 그렇게까지 망측해졌을까. 누구라도 생각할 바이지만 남성이 여성을 따르고, 여성이 남성을 따르는 것은 이 천지(天地)자연(自然)의 이치로서 인력(人力)으로 능히 어찌할 수 없는 것이다. 더운 때에 있어 서늘한 것을 생각하며, 추운 때에 있어 따스한 것을 생각하는 그 심정(心情)을 억지로 막을 사람이 그 누구리오. 남녀 간의 관계(關係)란 곧 그와 같은 것이다. 그런데 우(右)에도 말한 바와 같이, 여태까지는 남녀의 교제를 다 못한 남자와 한 여자에 한(限)하게 하고, 그 밖에 남녀에 대해서는 절대(絶對)로 서로 보지도 못하고 생각도 못 하게 하였다. 사람의 마음이란 이상한 것이어서 마음대로 하고 보면 실상 우스운 것이라도 어찌어찌 돼야 마음대로 할 수 없는 것이면 이상하게도 그것이 그리워지는 것이다. 남녀 문제에 있어도, 자기는 한 남자나 한 여자 이외에는 마음 놓고 한번 쳐다볼 수 없다 하는 거기에서 더 한층(層) 다른 남자나 다른 여자를 그립게 되는 것이며, 더욱이 자기의 지금 붙들고 있는 남편(男便)이나 또는 아내에 대해서는 어느 때일지라도 마음대로 할 수 있는 것이다 하는 거기에서 곧 자기의 남편이나 아내에 대해서 실증(症)이 나는 것이다. 아주 있으나 없으나 하리만큼 심상(尋常)24)해지는 것이다. 그중에도 자기의 아내라 하면, 손바닥에 쥐어진 물건(物件)과 같이, 임의용지(任意用之)25)로 생각하는 남자에게 있어서는, 자기의 아내에 대하여는 거의 이성적(異性的) 감념(感念)26)을 느끼지 못할 만큼 심상해지는 것이다. 이래서 곧 다른 이성(異性)을 그리워하게 되는 것이다. 오늘날의 남자가 여자를 그들보다도, 어떤 의미에 있어서는 한층 더 이성에 대한 침을 흘리는 것은 이 까닭이라 할 수가 있다. 이와 같이 성(性)에 대한 단련(鍛鍊)이 없으며 이해(理解)27)가 없고, 오직 성에 대한 주림뿐이 있는 여태까지의 남자와 여자, 특(特)히 남자들은 이성을 대하기만 하면, 곧 거기에 미치려 하며, 죽으려 한다. 마치 열흘 굶은 거지가 밥 덩이를 본 것과 같은 태도(態度)이다. 생각하면 얼마나 껄쩍한28) 일이냐. 남녀의 관계도 이쯤 타락(墮落) 되었으면, 실(實)로 어지간하게 되었다.

---

24) 심상(尋常)하다: 대수롭지 않고 예사롭다.
25) 임의용지(任意用之): 뜻대로 하다.
26) 감념(感念): 어떤 생각을 느낌. 또는 그렇게 느끼는 생각.
27) 원 표기: 이해(理鮮)
28) 껄쩍지근하다: 꺼림칙하다의 전라도 방언.

■ 남녀 간 교제는 결국(結局) 어떻게 할 것인가

그러면, 남녀 간의 교제란, 어떻게 해야 좋을 것일까.

나로서 생각건대, 남녀 간의 교제에는 아무래도 두 가지의 종류가 있을 것 같다. 성적 관계를 맺으며, 또는 맺을 것을 내용(內容)으로 하는, 어떤 특정한 남녀 사이에 한하는 교제. 달리 말하면 **남편**이다, **아내**이다, 하는 이름을 가지어서 교제하는 것이 그 하나이오, 아주 성의 관계를 떠나서 단순(單純)히 사무(事務) 상(上)으로 또는 우정(友情)으로써 교제하는 것이 그 하나일 것이다. 흔히들 하는 말이지마는, 남녀 간 교제에 있어서 성의 관계를 떠나서 한다는 말은 사실이 능(能)치 못할 바이라 한다. 이것은 여태까지의 남녀 간 관념(觀念) 그것을 가지고서 하는 말인 동시에 조금이라도 생각이 있는 남녀에 대해서는 문제(問題)될 것이 없는 바이다.

기다랗게 할 말도 않지만 사람에게는 제각기 특이(特異)한 개성(個性)을 가지는 것이다. 특이하다 함은 반드시 어떠한 것은 좋고 어떠한 것은 나쁘다 하는 의미가 아니다. 그런데 이 특이한 모든 개성들이 제각각(各各) 자기(自己)의 온전한 것을 가지고 서로 엇 맞추어 나아가는 때에 이 사회(事會)에는 비로소 **윤기(潤氣)**가 도는 것이며, **새로운 맛**이 생기는 것이다. 마치 시계(時計)의 큰 톱니바퀴[29], 작은 톱니바퀴가 서로 엇끼어 돌아갈 때에, 그 시계에는 비로소 재깍재깍하는 생명(生命)의

---

29) 원 표기: 치륜(齒輪). 치륜(齒輪): 둘레에 일정한 간격으로 톱니를 내어 만든 바퀴. 이가 서로 맞물려 돌아감으로써 동력을 전달한다.

움직임을 보는 것과 같은 것이다. 이런 의미에서 우리네 사람이란 것은 남성 그것만도 사람이 아니오, 여성 그만도 사람이 아니다. 오직 온 남성과 온 여성이 서로서로 조화(調和)된 그 사회에서 키워진 그 사람뿐이, 참으로 사람이다.

다시 말한다. 남녀 간의 교제는 어디까지 자유스러워야 한다. 지금의 남자와 남자끼리, 또는 여자와 여자끼리 교제하는 그것과 같아야 한다. 그와 같이 **의례(依例)** 것이 되어야 하고, 빈번(頻煩)하여야 하고, **평연(平然)**[30]하여야 한다. 이렇게 말하면 세간(世間) 사람들 중에서는 혹 이렇게 말할는지 모른다. 가로되

일반 남녀가 그와 같이 예사(例事)로써 교제하게 되면, 남자 또는 여자가 가진 그 독특(獨特)한 감정이며 기분은 이럭저럭 하는 중에서, 스스로 중화(中和)되며 소실(消失)되어 그때부터의 남녀간 교제는 아무러한 **감격(感激)**도 **정조(情調)**도 가지지 못한 쓸쓸한 것이 되는 동시(同時)에 그러한 남녀를 터 삼아서 이뤄진 사회가 역시 사막(沙漠)같이 쓸쓸해질 것이 아니냐고.

물론(勿論) 그렇게 생각할 수도 있다. 그러나 남녀간의 교제가 지극(至極)히 자유로워져서, 오늘과 같이 성적 감정에 주린 이 남녀들이 남녀가 서로 대할지라도 평연한 심정(心情)을 가지게까지 된다 하면, 벌써 그만큼은 성적의 해방(解放)을 얻는 것이 아닐까. 다시 말하면 벌써 그만큼은 행복(幸福)을 얻던 것이 아닐까.

---

30) 평연(平然)하다: 평범하고 자연스럽다.

억천만년(億千萬年)을 지내어 내려오는 동안에도 오히려 의연(依然)한 사람 사람의 개성(특성)이란 이것은, 그렇게 쉽사리 동화(同化)해 풀어질 것이 아니다. 비록 여하(如何)히 사람 사람이 한 몸덩이 되고 남자와 여자가 한 동무가 된다 할지라도 각자의 개성 그것은 모래바닥의 진주(眞珠)와 같이 언제든지 반짝반짝할 것이다. 따라서 일반으로 교제 되는 그 남녀들의 사이에서도, 그 특성과 특성은, 서로서로 조응(照應)31)되며 결연(結緣)(세상의 말로 하면 부처(夫妻))되어, 보다 더 톡톡한 특성을 가진 새 남자(子)와 새 여자(女)를 창조(創造)할 것이다. 이리하여서 세상은 자꾸자꾸 가까워가며, 새로워 갈 것이다.

여기까지는 주(主)로 남녀 간의 통상(通常) 교제에 대해서 말했거니와, 남녀 간의 특별 교제 즉 부처 간의 교제에 대해서 한 말을 더하고 붓을 놓겠다.

나는 이 위에서 여태까지의 남녀 교제에는 자못 부처라 하는 한 모퉁이의 좁은 길이 있었을 뿐인 것을 말하고 연하여, 여태까지의 부처는 **너무 가까이 접촉함으로 해서** 도리어 피차(彼此)에 이해가 없다는 것을 말하였다.

따져보면 부처란 것은 특정한 남녀 사이의 일종(一種) 교류에 지나지 못하는 것이다. 어느 정도까지의 쓰고 달 것을 미리 각오(覺悟)하고 사귄, 한낱 **친구**에 지나지 않는 것이다. 그러하거늘 여태까지의 사람들은 이 부처의 관계를 어떻게 고약하게

---

31) 조응(照應): 둘 이상의 사물이나 현상 또는 말과 글의 앞뒤 따위가 서로 일치하게 대응함. 원인에 따라서 결과가 생김.

생각하여 부처라 하면 **이 한편이 저 한편을 소유하는 것으로 알아 왔었다.** 즉 남편은 아내를 아내는 남편을 제각각 자기의 소유로 알았었다. 이 사이에서는 아무렇게 해도 관계치 않은 것으로 알았었다. 마음껏 학대(虐待)해도 좋고, 마음껏 친32) 해도 좋고, 마음껏 원망해도 좋고, 마음껏 구걸(求乞)해도 좋은 것이라고 하였다. 낮이면 이러나저러나 큰말 적은 말을 교환(交換)하여야 되고, 밤이면 좋으나 언짢으나 한자리에 누워야 되게 되었다. 이밖에 달리할 도리는 조금도 없었다. 이에서 그들의 사이는 더럽게 친하게 되거나, 그렇지 않으면 불쌍스럽게 소격(疏隔)33)되는 수밖에 없이 된다. 부처가 서로 공경하되 손님같이 한다는 이상적 부처는 벌써 옛말이 되고 말았다.

나는 이 위에서 **견우(牽牛)직녀(織女)**에 대한 이야기를 끌어 온 일이 있었다. 직녀는 은하의 동편에 베 짜고, 견우는 은하의 서편에서 소를 끌어 **제각각 자기의 살림에 힘쓰다가**, 하늘 높고 까마귀 우는 칠월칠석이라는 일 년 중의 단 하루를 가리여, 서로 한번 즐거이 대한다는 이 이야기, 이 이야기 속에는 한없는 진리가 쓰여 있는 듯싶다. 적어도 부처의 관계는 이렇게 하여야 한다는 풍자(諷刺)의 가르침인 듯싶다. 그것이 곧 한울님의 뜻이라는 말인 듯싶다.

나는 위선(爲先)34) 끊어 말한다.

---

32) 원 표기: 친닐(親昵). 친닐(親昵): [일본어] しんじつ: 친닐, 친숙, (매우) 친함. (=昵懇)
33) 소격(疏隔): 사귀는 사이가 서로 멀어져서 왕래가 막힘.
34) 위선(爲先): 어떤 일에 앞서서.

■ 사람을 살리라·사람을 살리라·주저(躊躇)할 것은 없다

여기에 대해서는 여러 가지로 할 이야기가 있다. 그러나 그것은 다음으로 밀고, 한마디의 결론으로 끝을 막으면 남녀의 관계에 있어 자못 부처란 형식을 빌지 아니하면 달리는 교제할 수 없이 된 여태까지의 그 관습(慣習) 도덕은 틀린 것이다.

남녀 간의 교제는 극(極)히 자유롭게 행(行)하되 극히 평연하여라, 아주 한 사람과 한 사람이 서로 대하는 것과같이 천연(天然)스러워라.

부처 간의 교제는 경애(敬愛)로써 주(主)를 삼되, 부처라는 **그 관계와** 부처라는 그 자연인의 **생활**은 무섭게 구별(區別)하여 견우직녀의 살림 그것을 본뜨게 하라.

남녀 간의 교제를 이렇게 하는 근본(根本) 준비(準備)로 먼저 사람이란 어떠한 것인가 하는 그것을 알라. 즉 남녀라, 여자라, 또는 부(夫)라 처(妻)라 하는 그것을 떠나서, 사람이란 그것이 어떠한 것인가를 알라. 이것이고 저것이고 먼저 사람이란 그것이 기초(基礎)가 되지 않아서는 안 된다. 남자라, 여자라, 또 혹은 부라, 처라 하는 그 명목(名目) 밑에서, 사람 그것이 아주 압살(壓殺)되었을 리(理)는 없겠지. **사람을 살리라, 사람을 살리자,** 나는 자꾸자꾸 이렇게 부르짖고 싶다.

다수(多數)한 처녀(處女)이며 총각(總角)아, 다수한 남편이며 부인(婦人)아, 주저(躊躇)할 것은 없다.

신화(神話) 상(上)에서 본 고대(古代)의 여성관(女性觀): 손진태(孫晉泰)35)

나는 이 소논문(小論文)의 대부분(大部分)을 우리 인종(人種)의 조선(祖先)들이 우리에게 준 귀중(貴重)한 유물(遺物)일 신화에서 보아, 우리의 조선들이 어떻게 여성(女性)을 보았는지를 불완성(不完成)된 연구(硏究)이나마 여러분 앞에 제출(提出)코자 합니다.

대개(大槪) 각(各) 민족(民族)의 신화(神話) 중(中)에 인도(印度)의 신화같이 정욕(情慾)에 초월(超越)한 생활(生活), 즉(卽) 성자(聖者) 혹(或)은 은자(隱者)의 생활을 찬양(讚揚)하고, 따라 여성(女性)을 무시(無視)한 신화는 없다. 물론(勿論) 인도 신화 중에도 연애(戀愛) 중심(中心)의 설화(說話)도 파다(頗多)하지만, 그 여주인공(女主人公)은 별(別)로 중대(重大)한 소임(所任)이 없고, 혹시(或時)는 남주인공(男主人公)의 대 이상(大理想)의 장해물(障害物)이 될 때가 많다. 이것은 인도 신화 유(幼)의 그의 전면(全面)을 통하여 일관(一貫)한 사상(思想)이다.

그런데 이상(異常)한 것은 인도인도 지나인(支那人)36)이나, 일본인(日本人), 조선인(朝鮮人)과 같이 무자(無子)37)한 것을

---

35) 손진태(孫晉泰): 사학자이자 민속학자. 와세다대학을 졸업했고 동양문고(東洋文庫)에 재직하였는데, 전국을 다니며 민속채집에 힘썼다. 조선민속학회를 조직해 민속학회지 <조선민속(朝鮮民俗)>을 간행했다. 광복 이후 서울대학교 교수로 취임했으며 '신민족주의사관'을 제창했다.

36) 지나-인(支那人): 중국 국적을 가진 한족, 몽골족, 터키족, 티베트족, 그리고 만주족 따위를 통틀어 이르는 말.

37) 무자(無子): 자식이 없음.

사람의 제일(第一) 불행(不幸)으로 생각한 것이다. 라마 이야기나, 오형제(五兄弟), 석가(釋迦) 이야기 등(等)은 모두, 조선 중세(中世)에 일어난 소설(小說) 혹은 전설(傳說)과 마찬가지로 「나이 얼마가 되도록 슬하(膝下)에 일점(一點) 혈육(血肉)이 없어」 하고 화두(話頭)가 나온다. 이렇게 자손(子孫)을 원(願)하는 인도인의 신화 중에, 왜 금욕(禁慾) 수행(修行)의 은자 생활을 사람의 지상(至上)[38] 생활로 알고, 생식(生殖)의 신성(神性)을 가진 여성의 존재(存在)를 그다지 무시하였느냐? 함에는, 나는 이렇게 생각한다. 인도에 바라문교(婆羅門教)[39]가 전성(全盛)하였을 때에는 바라문화(化)가 되어버렸고. 즉 정신(精神) 지상주의(至上主義)인 바라문교는, 물질적(物質的)인 재래(在來)의 신화를 무시하였다.

그러므로 인도 신화는 원형(原形)을 그대로 유지(維持)하여 내려온 것이 적다. 태양(太陽), 태음(太陰)[40]의 신, 미(美)와 음악(音樂)의 신, 학예(學藝), 호운(好運)[41]의 신에 관(關)한 설화는 극(極)히 간단(簡單)하여 겨우 그 유해(遺骸)를 남겨있을 뿐이다.

이렇게 성자화한 인도 신화 중에서도, 우리는 그 반면(反面)에 인도인의 육적(肉的) 생활의 왕성(旺盛)하였음을 용이(容易)

---

38) 지상(至上): 가장 높은 위.
39) 바라문-교(婆羅門教): 불교에 앞서 고대 인도에서 경전인 베다의 신앙을 중심으로 발달한 종교. 우주의 본체 곧 범천(梵天)을 중심으로 하여 희생을 중요시하며 난행 고행과 조행(操行) 결백을 으뜸으로 삼는다.
40) 태음(太陰): '달'을 태양에 상대하여 이르는 말.
41) 호운(好運): 좋은 운수.

히 볼 수 있다. 인도 신화가 일면(一面)으로 은자의 생활을 찬미(讚美)함과 동시(同時)에 타면(他面)으로는 그의 반드시 왕자(王者)의 정욕(情慾) 생활을 그려내었음으로도 볼 수 있고, 또 석가가 수행 생활 중에 한 고백(告白)으로서도 알 수 있다.

「육체가 쇠약(衰弱)함과 동시에 정신도 쇠약해진다. 또 육체가 왕성함과 동시에 정신도 왕성하여진다. 영(靈)과 육(肉)은 원래(元來) 분립(分立)지 못할 것이다. 만일(萬一) 육체가 멸(滅)하면 정신이 어찌 독(獨)이 사고(思考)를 계속(繼續)할 수 있으랴, 고행(苦行)을 위(爲)하여 육체를 손상(損傷)함은 결코 진리(眞理)에 이르는 정도(正道)가 아니다. 정신적 대각(大覺)42)에 도달(到達)코자 함에는 육체의 건전(健全)을 잊지 아니하여야 할 것이다.」

이렇게 자각(自覺)한 석가는 촌녀(村女)의 공양(供養)하던 우유(牛乳)를 받았다.

이 말은 여러 가지로 해석(解釋)할 수 있겠지만, 나는 석가가 재래(在來)의 바라문교의 육체 무시에 반항(反抗)한 말이요, 동시에 신화시대의 육적 생활에 모종(某種)도(度)까지 공명(共鳴)43)하여 양자(兩者)를 절충(折衷)한 신(新) 인생관(人生觀)이라고 한다. 이러한 석가도 여성문제에 이르러는 극히 냉담(冷淡)하였다.

귀중(貴重)한 인도의 신화가 이러한 공기(空氣) 중에서 생장(生長)하였으므로 원형을 유지하지는 못하였음은 물론(勿論),

---

42) 대각(大覺): 도를 닦아 크게 깨달음. 부처가 깨달은 지혜. '부처'를 달리 이르는 말.
43) 공명(共鳴): 진동하는 계의 진폭이 급격하게 늘어남. 또는 그런 현상.

그의 치명상(致命傷)을 입게 되었다. 그러므로 만일 인도 신화를 외부(外部)로만 관찰(觀察)하면 고대의 인도인은 여성의 존재를 무시하였다고 할 수밖에 없으나, 좀 더 내부를 살펴보면 흥미 있는 발견이 많이 있다.

인도인은 여성을 무시하였으므로 제신(諸神)44)의 성은 거의 다 남성이다. 창조신(創造神) 「브라만」은 물론, 이하(以下) 보지신(保持神), 파양신(破壞神), 심지어(甚至於) 세계가 다 여신을 가진 연애신(戀愛神)까지도(카마데바45)) 남성이다. 그러나 아무리 완명(頑冥)46)한 인도인이라도 인류(人類)의 모든47) 문화(文化)를 창설(創設)한 지혜적(智慧的)인, 미술적(美術的)인, 음악적(音樂的), 다산적(多産的)인 여성을 전혀 무시할 수는 없었다. 모든 신을 남성으로 한 그들48)에게도 지신(地神), 태양신(太陽神), 태음신(太陰神), 학예신(學藝神), 호운신(好運神) 등은 여성으로 하지 아니할 수 없었다. 이외에도 효신(曉神), 사신(蛇神)의 여신이 있지만.

---

44) 제신(諸神): 여러 신.
45) 카마 Kāma: 인도 신화에 나오는 애욕의 신. 쾌락의 여신인 라티(Rati)의 남편으로, 활과 화살을 들고 뻐꾸기와 꿀벌 따위를 거느리는 아름다운 청년으로 묘사된다.
46) 완명(頑冥)하다: 고집이 세고 사리에 어둡다.
47) 원 표기: 제(諸)
48) 원 표기: 피등(彼等): [일본어] かれら (彼ら·彼等): 그들, 그 사람들.

이(二). 태양신, 태음신, 지신

이렇게 태양신, 태음신, 지신 등을 여성으로 한 곳에 나는 흥미를 느낀다.

태양신을 여성으로 한 민족(民族)은 기수(基數)[49]가 희한(稀罕)하다. 고대(古代)부터 농산물(農産物)을 주요(主要) 식량(食糧)으로 한 인도, 슬라브(Slav), 일본, 조선 민족 등이 태양 여신을 가짐과 에스키모족(Eskimo族)과 같이 북극(北極) 지방(地方)에 사는 민족이 태양을 생명의 수호(守護)여신으로 숭배(崇拜)함은 재미[50]있는 일이다.

발트(Baltic)[51] 지방의 토기(土旗)와 북미(北米) 밴쿠버(Vancouver)도(島)의 **아트족(Aht族)**[52] 여성의 태양신을 가지고, 북해도(北海道)[53]의 **아이누족(Ainu族)**이 역시(亦是) 여성 태양신을 가짐은, 전자(前者)는 농업(農業)과 후자(後者)는 기후(氣候)와 관계가 있는 듯하다.

원시인(原始人)이나 현대인(現代人)이나 먹을 것을 중시(重視)함은 일반(一般)이지만, 특(特)히 정신생활이 진화(進化)되지 못한 고대인들은 거의 먹기 위하여 산다고 할 만치 식량(食

---

49) 기수(基數): 수를 나타내는 데 기초가 되는 수. 십진법에서는 0에서 9까지의 정수를 이른다.
50) 원 표기: 자미(滋味)
51) 원 표기: 발덕(Baltic). 발트 해 연안 지역.
52) 아트(Aht): 누차눌스(Nuu-chah-nulth). 캐나다 태평양 북서부 해안의 원주민 부족.
53) 북해도(北海道): 일본 홋카이도 (ほっかいどう)

糧)을 중시하였다. 생물(生物)이, 특히 농작물이 태양의 힘이 아니면 되지 못할 것은 원시인이라도 누구나 다 아는 바이었다. 즉 태양은 생산(生産)에 지중(至重)한[54] 관계가 있다. 전(全) 생산을 지배(支配)한다. 그런데 여성에게는 사람을 생식(生殖)[55]하는 신비성(神秘性)이 있다. 그러므로 태양은 여성이 되었다. 태양뿐만 아니라 생산에 관계있는 신은 거의 여신이다 - 이하(以下)에 쓰고자 하는 수신(水神), 지신(地神), 해신(海神), 풍신(風神), 산신(産神) 등(等)이 -.

여성 태양신을 가진 각 민족의 신화를 일일이 소개(紹介)함을 약(略)하고, 다만 여성 신이 적은 인도와 우리 조선과의 설화에 대(戴)하여 수언(數言)을 쓰고자 한다[56].

태양신 **사비트리**(Savitri)[57]는 창조신 **브라만**의 처(妻)다. **사비트리**의 신화가 우리에게 많은 이야기는 주지 아니하나 흥미(興味)는 무한(無限)히 있다. 이하 제3절에 다시 이 여신의 말을 쓸 기회(期會)가 있으나, 태양 여신이 **마드라왕**(Madra王)에게 자기와 동명의 여(女)를 줌이라든지, 인도인이 태양 여신을 찬송(讚頌)하는 바의 **만트라**(Mantra)[58](진언(眞言)-다라니

---

54) 지중(至重)하다: 더할 수 없이 귀중하다.
55) 생식(生殖): 낳아서 불림. 생물이 자기와 닮은 개체를 만들어 종족을 유지함.
56) 원 표기: 비(費)코져 한다.
57) 사비트리(Savitri): 인도 신화에 나오는 여신. 인도에서 가장 오래된 성전(聖典) 리그베다에서 칭송되고 있는 여신으로 하천, 호수의 여신으로 숭배되다가 나중에는 학문, 예능, 웅변, 지혜를 주관하는 신으로 섬기게 되었다.
58) **만트라**(Mantra): 진언(眞言): 진실하여 거짓이 없는 말이라는 뜻으로, 비밀스러운 어구를 이르는 말.

(陀羅尼)[59])를 가집이라든지, 또는 **마드라** 왕이 다라니를 찬송하여 여신의 총애(寵愛)를 얻게 되었다는 등 설화는 인도인이 고대에 태양 여신을 얼마나 숭배한 것을 알 수 있다. 또 그녀[60])는 창조신이 천지창조 안(案)을 독수(獨手)[61])로 작성(作成)하였다 전(傳)한다.

이 전설(傳說)은 고대인이, 여성에게는 창조성이 풍부(豐富)하다고 본 일면(一面)을 의미하는[62]) 것이다. 또 이 전설은 생산에도 관계가 없다고 할 수 없다.

조선 신화에는 어여쁜 처녀(處女)가 범에게 쫓겨 하늘에 올라가서 태양이 되었다. 처음에는 달이 되었다가 적적(寂寂)한 밤에 혼자 다니기는 처녀의 몸으로 무서우므로 그 오라비 되는 태양신과 서로 바꾸어 되었다. 이 신화도 물론 우리에게 많은 재료(材料)를 주지 아니하나, 태양이 생식에 관계있는 것은 전설상으로만 한 예(例)를 볼 수 있다. 가령(假令) 고주몽(高朱蒙)[63])의 모(母) 유화(柳花)는 태양의 정기를 받아 주몽을 잉태(孕胎)하였으며, 최근(最近)으로는 최제우(崔濟愚) 선생(先生)[64])이 역시 일월(日月)의 정기를 받아 탄생(誕生)하였다. 지나(支那)에도 이태백(李太白) 선생(先生)이 있으며, 일본에도

---

59) 다라니(陀羅尼): 범문을 번역하지 아니하고 음(音) 그대로 외는 일. 자체에 무궁한 뜻이 있어 이를 외는 사람은 한없는 기억력을 얻고, 모든 재액에서 벗어나는 등 많은 공덕을 받는다고 한다.
60) 원 표기: 타녀(彼女) [일본어] かのじょ (彼女): 그 여자, 그녀
61) 독수(獨手): 홀로 독(獨), 손 수(手)
62) 원 표기: 하는. 문맥상 '의미하는'이 적절하여 달리 표기했다.(역자)
63) 주몽(朱蒙): 동명성왕(東明聖王)의 이름.
64) 최제우(崔濟愚): 천도교(동학)의 창시자.

도요토미 히데요시65)가 있다. 위인(偉人)뿐만 아니라 민간(民間)에서도 이런 예가 있다.

나의 친족(親族) 중에도 태양의 정기 받아 낳았다 하여 이름을 일홍(日洪), 태음의 정기를 받아 낳았다 하여 월홍(月洪)이라고 지은 자가 있다.

그다음 태음 여신에 관하여 각 민족이 그 미를 찬미(讚美)하였음은 내가 장황하게 쓸 필요도 없으나, 나는 월(月)을 다만 여성미의 상징(象徵)으로만 보지 아니하고, 무슨 생산이 관계가 없는가 하고 생각하여 오던 중 마츠모토 다케오(松本武雄) 박사(博士)의 이러한 연구(研究)가 발표(發表)되었기에 대강(大綱)을 초역(抄譯)66)하겠다.

(중앙사단(中央史壇)67), 1922년 12월호)

『리투아니아인(Lithuania人)은 소아(小兒)의 젖(乳)을 떼일 때 남자면 초월(初月)68)의 시(時)에, 여자이면 만월(滿月)69)의 시(時)를 택(擇)한다. 그러면 남자는 초월이 점대(漸大)70)함과 같이 강건(強健) 비대(肥大)하게 되고, 여자는 만월의 점점(漸漸) 세미(細微)하여짐과71) 같이 예쁘게 된다고 그들은 믿는

---

65) 원 표기: 풍신수길(豊臣秀吉). 1592년 임진왜란을 일으켜 조선을 침략했으나 실패했다.
66) 초역(抄譯): 원문에서 필요한 부분만을 뽑아서 번역함.
67) 중앙사단(中央史壇): 일제강점기 일본의 역사 잡지.
68) 초월(初月): 초승에 뜨는 달.
69) 만월(滿月): 음력 보름날 밤에 뜨는 둥근달.
70) 점대(漸大): 점점 점(漸), 큰 대(大).
71) 세미(細微)하다: 매우 가늘고 작다.

다. 또 고대(古代) 구라파(歐羅巴)72) 민중(民衆) 중에는 화폐(貨幣)에 신월(新月)73)의 광(光)을 쏘이게 하여 신월의 점증(漸增)함과 같이 치부(致富)74)하기를 바랐다. 즉 월(月)의 **점대력**(漸大力, Waxing Power)을 흡수(吸收)케 함이다.

미개인(未開人)은 월의 영휴(盈虧)75)의 현상(現象)을 사물(事物)의 성장(成長)과 쇠조(衰凋)76)에 관련(關聯)케 하여 혹은 양자의 간(間)에 무슨 신비(神祕)한 관계(關係)가 있다고 생각하겠다. 신앙(信仰)상으로 예를 들면 **바가스마유(Bakasmayu)**77)의 아메리카78) 인도인은 농업신을 태음으로 승배하였다. 상고(上古) **바빌로니아(Babylonia)**에서는 농업이 민중에 주요(主要)한 생활양식(生活樣式)이었을 때 월신(月神)은 그 중요(重要)한 신이었다.』

이러한 신앙은 조선에도 있는 듯하다. 가령 아동(兒童)이 꿈 가운데 고처(高處)79)에서 떨어지면 키가 크게 된다는 것이라든지 죽순(竹筍)이 밤사이에 자란다는 등 설은 밤에 사물이 성장

---

72) 구라파(歐羅巴): 유럽.
73) 신월(新月): 초승달.
74) 치부(致富): 재물을 모아 부자가 됨.
75) 영휴(盈虧): 차는 일과 이지러지는 일. 천체(天體)의 빛이 그 위치에 따라 늘어나거나 줄어드는 현상.
76) 쇠조(衰凋): 쇠할 쇠(衰), 시들 조(凋)
77) 지명으로 추정되는데 정확히 어디인지 찾아보았으나 알 수 없었음. (역자).
78) 미국. 원 표기: 아미리카(亞米利加). 근대 일본에서 아메리카를 표기하던 방식이다.(역자)
79) 고처(高處): 높은 곳.

함을 의미함이 아닌가 한다.

미(美)의 관념(觀念)이 발달(發達)되지 못한 원시인이 월을 미의 여신으로 숭배하였다 함보다도 생산의 신이라고 보았다 함이 차라리 정당(正當)한 해석(解釋)일 것이다. 생각나는 대로 각국(各國) 신화에서 생산을 의미하는 각 민족의 최상신의 예를 들면.

「애급(埃及)80)의 **마우트**」 「바빌로니아의 **아나트**」 「아시리아의 **밀리타**」 「스오미81)의 **게-**」 「희랍(希臘)82)의 **주노**83)」 「중앙아메리카의 **티팔류알**」 「뉴질랜드의 **바바**」 「지나(支那)의 **지모**(地母)」 「조선의 지모」 「인도의 **부리티비**」.

이러한 제(諸) 여신들은 다 생산을 의미하는 신이다. 이 중에서 **부시리아**84)의 여신은 생산의 여왕(女王)이며, 뉴질랜드(New Zealand)의 여신은 만물을 생(生)하므로, 토인(土人)은 대지(大地) 겸(兼) 모(母)라고 생각한다. 인도의 지신(地神)은 천신(天神) 즉 천부(天父) **디아우스**와 배합(配合)하여 만물을 창조 생산한다. 인도의 지신, 즉 지모의 화신(化身)85)은 빈우(牝牛)86)이며 부신의 화신은 적모우(赤牡牛)87)이다. 만물은 지모,

---

80) 애급(埃及): 이집트(Egypt)의 음역(音譯).
81) 스오미(Suomi): 핀란드어로 핀란드를 의미함.
82) 희랍(希臘): 그리스의 음역.
83) 주노(Juno): 헤라
84) 국가명으로 추정됨.(역자)
85) 화신(化身): 어떤 추상적인 특질이 구체화 또는 유형화된 것.
86) 빈우(牝牛): 암소.
87) 적모우(赤牡牛): 빨간 수소.

즉 빈우의 복중(腹中)에서 생산하게 된다. 농업시대에 빈우는 경작(耕作)에 조력(助力)하였으며 우유(牛乳)를 공급(供給)하였으며 사후(死後)에는 혹은 그 육체(肉體)까지도 희생(犧牲)하였을 것이다. (원시시대에는 혹 우(牛)를 신성시하여 그 고기를 먹지 아니한 족(族)도 있었다. 달단족(韃靼族)[88]은 그[89] 예) 그러므로 빈우는 생명의 모든 양식(糧食)을 주는 지모와 일치(一致)되었다. 지모 즉 빈우, 빈우 즉 지모라고 그들은 생각하였다.

조선 신화에도 천지창조 전설 중에 「하늘과 땅이 맞붙었다가, 하늘은 도로 올라가고, 그 뒤에 땅 어미의 복중에서 만물이 창조되었다.」라고 하며, 인간 창조신화 중에는 「하늘에서 황금색(黃金色) 빈우가 내려와서 사람은 빈우의 복중에서 나오게 되었다.」라고 한다. 이 신화가 인도의 영향(影響)을 받았는지는 지금(只今) 단언(斷言)키 어려우나 좌우간 빈우와 지모는 서로 일치된다. (여기 우리 신화를 상기(詳記)치 못함이 유감(遺憾)되오나, 다음에 책자(冊子)로 출판(出版)할 기회(機會)가 있을 듯합니다.)

이 외에 생산에 관한 조선의 제신(諸神) 중에 생식신(生殖神) 「산신(産神)할머니」(혹은 삼신(三神))라든지, 풍신 「영등 할머니」 등은 모두 여신들이다. 산신할머니는 동시에 수복(壽福)의 신이다. 예외(例外)는 물론 있다. 애굽의 **오시리스(Osiris)**

---

88) 달단(韃靼): 예전에 동몽고(東蒙古)에 살고 있었던 몽고계의 한 종족. 곧 타타르(Tatar)의 음역(音譯)이다.
89) 원 표기: 기(其)

는 곡물(穀物) 생산의 남신이며, 마찬가지 애급 참(Kham) 여신
도 남성이지만 생식의 신임과 동시에 천신이다. **아시리아**의 **페
루**(Peru or veru)신은 남성이나 최상신(最上神)임과 동시에
「생을 주는 신」이요 「생산의 주신」이다. 그러나 이러한 신
화는 사람의 성에 관한 관념(觀念)이 진화(進化)된 뒤에 일어난
신화 같다.

　지금까지의 예로서 우리는 불충분하나 마나 상고인이 얼마나
여성을 다산의 신으로 승배하였는지를 알 수 있을 것이다. 또
그들이 특히 자손의 생식-식료품 생산 외에 얼마나 중요시하였
는지도 알 수 있다. 원시인이 유목시대(遊牧時代)에는 남성은
여성과 달라 혹은 자손을 그다지 중시치 아니하였을 것이다.
그러나 일차 농업시대에 들어와서, 그들이 정착한 생활을 하게
된 뒤에는, 또는 사람은 불과(不過) 백년 이내에 반드시 한 번
죽는다는 관념이 발달된 뒤에는 매우 자손을 중시하였을 것이
다. 그들의 영원한 생명은 실로 자기들의 생명을 연장(延長)하
게 되는 자손을 영원히 계속(繼續)함에 있다고 생각하였다. 그
것은 농업시대에 일어난 다산(多産)을 무엇보다도 중시한 지금
(至今)까지의 기술(記述)한 신화가 충분히 증명한다.

삼(三). 기직신(機織神)[90]

　여존남비(女尊男卑)의 경향(傾向)이 보이는 금일에도 아직 인

---

90) 기직(機織): 기계(機械)로 짠 직물(織物). 베틀로 베를 짬.

류문화 사상으로부터 여성은 거의 제외(除外)되다시피 되었다. 그러나 원시시대에 있어서는 금일과 반대로 제반(諸般)[91] 문화가 여성의 수(手)에 지배(支配)되었음은 잊지 못할 일이다. 수렵(狩獵)과 전투(戰鬪)가 성행(盛行)하던 고대에는, 남성은 이러한 활발(活潑)한 노동(勞動) 외에 아무것도 하지 못하였다. 낮에는 수렵으로 세월(歲月)을 보내고 귀가(歸家)한 뒤에는 피곤(疲困)하여 장시간의 휴식(休息)을 요(要)한다. 원기가 회복된 뒤에는 다시 활동을 산야(山野)[92]에 개시(開始)하게 된다. 그러므로 자연의 세(勢)로 여성은 식물(食物)을 조리(調理)하며, 가축(家畜)을 사양(飼養)[93]하였으며, 경작(耕作), 착유(搾乳), 직포(織布)[94], 도기 제조(陶器 製造), 기타(其他) 가정(家庭) 일용품(日用品) 일체(一切)를 자수(自手)로 창작하였다. 자녀의 양육(養育)도 물론(勿論) 단(單)으로 하였다. 여성의 당시 근로는 남성 이상이었을 것은 신(身) 상상(想像)하기에 어렵지 아니하다. 금일의 문명은 실로 그녀 등의 노동의 결정(結晶)이다. 금일의 인류애(人類愛)의 사상(思想)은-우주애(宇宙愛)의 사상은 실로 그녀들이 가사(家事)의 여가(餘暇), 여가에 이웃 가족들과 시작한 사교(社交)의 연장(延長)이다. 인류의 문화를 여성이 얼마나 많이 창설(創設)하였나 함에 관한 연구는 별(別)로히 일대(一大) 장편(長編)[95]의 논문(論文)이 될 터이므로-또한 용이(容易)치 아니한 문제이므로 곧 신화로 옮기고자 한다.

---

91) 제반(諸般): 어떤 것과 관련된 모든 것.
92) 산야(山野): 산과 들을 아울러 이르는 말.
93) 사양(飼養): 사육(飼育). 어린 가축이나 짐승이 자라도록 먹이어 기름.
94) 직포(織布): 기계나 베틀 따위로 피륙을 짜는 일.
95) 장편(長編): 장편(長篇)

나는 방직(紡織)에 관한 많은 신화를 알지 못함이 부끄러우나 지나의 직녀성 신화라든지, 희랍의 직녀 신화 등을 보면 방직은 여성이 창조한 것이며, 여성의 독점(獨占)하였던 천직(天職)이며 예술(藝術)이었던 것을 알 수 있다.

지나의 전설에는 직녀성의 짠 비단은, 여름으로 시원하고, 겨울에는 따뜻한 비단이라 하여 그 여신의 예술적 천재(天才)를 상탄(賞嘆)96)하며 (자세(仔細)한 이야기는 우리 「어린이」 제1권 제7호에 기재(記載)되었습니다.) 희랍의 기직신(機織神) **아테나(Athena)** 여신은 우내(宇內)97)에서 제일(第一)가는 기직의 선수(善手)98)였다. 일일(一日)은 유명한 직녀(織女) **아라크네(Arakune)**와 경기(競技)를 하게 되었다. 아라크네 직녀의 기직은 사람 이상(以上)의 신통력(神通力)이 있어서, 사람들은 말하기를 "그녀의 기직은 목선(木線)이나 양모(羊毛) 견사(絹絲) 등으로 함이 아니라, 실로 그 경(經)은 일광(日光)의 선(線)을 취(取)하고는 위(緯)는 황금(黃金)의 사(絲)를 취한다."라고까지 칭찬(稱讚)하였으며, 부근(附近)의 선녀(仙女)들은 항상(恒常) 이 직녀의 기직을 구경하려 사방(四方)에서 모여들었다. 경기(競技)의 일(日)을 당(當)하여 전세계(全世界)의 사람들은 구름 모인 듯하였다. 그 밀판관(密判官)은 천신(天神) **제우스(Zeus)**였다.

아라크네 직녀의 짠 비단은 얇고 부드러우며99), 가볍기는 놓

---

96) 상탄(賞嘆/賞歎): 칭찬하고 감탄함.
97) 우내(宇內): 하늘 아래 온 세상.
98) 선수(善手): 솜씨가 남보다 뛰어난 사람.

으면 날릴 것 같다. 그러나 강인(强靭)하기는 그것으로 사자(獅子)라도 능(能)히 비끄러맬만하였다[100]. 밀판관도 감심(感心)[101]하였다.

일편(一便)으로 **아레나** 여신의 짠 비단에는, 여름 나무 그늘에 청량(淸凉)한 옥천(玉泉)[102]이 솟아오르고, 천종(千種)의 꽃이 만발(滿發)하여 향기(香氣)가 진동(振動)하며, 가을의 들이 있고, 사람이 있으며, 조수(鳥獸)[103], 성관(城館)[104], 고루(高樓)[105], 거산(巨山)[106] 기타 세계의 전미관(全美觀)이 무루(無漏)[107]히 표현되었다. 직녀는 도저(到底)히 여신의 적수(敵手)가 아님을 자각(自覺)하고 비통(悲痛)의 여(餘)에 엎드려 통곡(痛哭)하였다. 여신은 옥창(玉搶)으로 직녀를 경타(輕打)[108]하였다. 직녀는 화(化)하여 거미(지주, 蜘蛛)가 되어 재미있게[109] 집을 짓게 되었다. 현금(現今)의 거미들은 모두 다 **아라크네** 직녀의 자손이라고 한다.

---

99) 원 표기: 유(柔)하며
100) 비끄러매다: 줄이나 끈 따위로 서로 떨어지지 못하게 붙잡아 매다. 제멋대로 하지 못하게 강제로 통제하다.
101) 감심(感心): 마음속 깊이 느낌. 또는 그렇게 감동되어 마음이 움직임.
102) 옥천(玉泉): 옥같이 매우 맑은 샘.
103) 조수(鳥獸): 새와 짐승을 아울러 이르는 말.
104) 성관(城館): 15세기부터 17세기 초기까지의 서유럽에서 군주나 귀족이 살던 별장.
105) 고루(高樓): 높이 지은 누각.
106) 거산(巨山): 크고 높은 산.
107) 무루(無漏): 번뇌에서 벗어나거나 번뇌가 없음.
108) 경타(輕打): 가벼울 경(輕), 칠 타(打)
109) 원 표기: 자미(滋味)있게

직녀는 **아테나** 여신에게 예술적(藝術的) 천재(天才)가 불급(不及)하였으므로 패배(敗北)하게 된 것은 물론이나, 여기서 생각나는 바는 기직과 지주(蜘蛛)에게로부터 그 암시(暗示)를 얻었으며, 최초(最初)의 발명자(發明者)는 여성일 것이다.

직물(織物)은 약(約) 50년 이전(以前)에 발명(發明)되었다고 한다. 애급의 금자탑(金字塔)[110] 중에서 나오는 **미라**(목내이, 木乃伊)[111]의 의복(衣服)은 마포(麻布)이다. 당시(當時)에 전투(戰鬪)와 같은 활발(活潑)한 생활(生活)만 하던 남성이 범상(凡常)한 지주견(蜘蛛絹)을 정찰(靜察)하여 직물(織物)의 암시(暗示)를 얻었다 함은 상상(想像)하기 어려운 일이다. 내적(內的)이오, 정적(靜的)이오, 관찰(觀察)이 세밀(細密)한 여성이 이것을 발명하였다 함이 옳을 것이다. 기직에 관한 신화가 모두 여성을 중심으로 된 것을 보아도 그 일면을 알 수 있다.

지주가 직물의 암시(Hint)를 주었다 함이 이상한 듯 하나, 신화 상으로 보면 동물이 사람의 중대한 발견에 암시를 줌이 허다(許多)하다. 2, 3의 예를 들면

대만(臺灣) 신화 중의 때배(독목주, 獨木舟)[112]의 유래(由來)는 원숭이가 암시를 준 것이라 한다. 즉 수렵(狩獵)하던 흑인(人)이 사슴을 쫓아가다가 큰 못가에 이르렀다. 사슴은 헤엄침을 하여 건너갔으나, 사람은 어찌할 줄을 몰랐다. 마침 원숭이

---

110) 금자탑(金字塔): '金' 자 모양의 탑이라는 뜻으로, **피라미드**를 이르던 말. 길이 후세에 남을 뛰어난 업적을 비유적으로 이르는 말.
111) 목내이(木乃伊): [일본어] 미라(ミイラ)의 한자표현.
112) 독목주(獨木舟): 통나무를 파서 만든 작은 배. 쪽배.

가 나뭇가지를 타고 저편에서 건너옴을 보고, 엽부(獵夫)[113]는 독목주를 발명하였다 한다.

　인도 신화 중에도 라마가 양란도(錫蘭島)[114]의 악마(惡魔)를 퇴치(退治)코자 하였을 때 망망(茫茫)한 대해(大海)를 건너갈 길이 없었다. 그때 원군(猿軍)[115]의 일장(一將) **나타**(Nahra)가 **아담교**(橋, Adam's bridge)를 인도 대륙(大陸)에서 양란도의 피안(彼岸)[116]까지 무지개와 같이 놓았다고 한다. 또 일본 신화와 대만 신화 중에 사람의 시조가 호상(互相)[117] 교접(交接)하는 도(道)를 몰라 답답하던 중, 전자는 발합(鵓鴿)[118]이 후자는 금룡(金蠪)[119]이 와서 가르쳐주었으므로 인류(人類)가 번식(繁殖)되었다고 한다.

　신화 상으로 의식주(衣食住) 발달(發達)의 순서(順序)를 보면 **아담, 이브**가 **에덴** 낙원(樂園)에서 처음에 먹기를 알았고, 다음에 입기를 알았다. 선악과(善惡果)를 먹은 뒤에는 도덕관념(道德觀念)이 생겨, 무화과(無花果)의 잎사귀로 치부(恥部)를 가리었다고 한다. 그러한 유래(由來)로 희랍 조각(彫刻)이라든지 금

---

113) 엽부(獵夫): 사냥하는 사람. 또는 사냥을 직업으로 하는 사람.
114) 양란도(錫蘭島): 스리랑카(실론)으로 추정됨. 아담의 다리는 인도와 스리랑카 사이의 여울이며 중국에서는 실론(Ceylon)을 양란(錫蘭)으로 음역하여 표기하고 있음.(역자)
115) 원군(猿軍): 원숭이 원(猿), 군사 군(軍)
116) 피안(彼岸): 강의 건너편 기슭. 사바세계(娑婆世界)의 저 쪽에 있다는 정토(淨土).
117) 호상(互相): '상호'의 북한어.
118) 발합(鵓鴿): 비둘기.
119) 금룡(金蠪): 금색 개미.

일에는 대리석상(大理石像)에는 음부에 무화과 엽(葉)형(形)의 것을 붙인다고 한다. 조선의 일월신화에도 **가랑 잎사귀**로 치부를 가렸다는 말이 있다. 주거(住居)는 의식(衣食)의 후에 일어난 것이다. 이렇게 인류 생활에 제일 필요한 의식 두 가지에 관한 신화가 거의 여성을 중심으로 하여 일어난 것은 고대인이 얼마나 여성을 숭배하였으며 여성들은 인류 생활에 얼마나 많은 공헌(貢獻)을 하였는지 알 수 있다.

사(四) (차호(次號) 완결(完結))
학예(學藝)신, 호운(好運)신, 미의 신, 미술예악(禮樂)신

여학생(女學生) 제복(制服)과 교표(教標) 문제(問題)

남녀(男女)를 물론(勿論)하고 배우는 이들은, 가르치는 이들의 제2(制二) 자기(自己)이다. 다시 말하자면 배우는 이들은 제2국민(國民)이다.

사람은 항상(恒常) 자기 과장벽(誇張癖)120)으로 말미암아 자기 의향(意向)에 무엇을 완전무결(完全無缺)하게 생각한 때에는 이상(以上) 더 만족(滿足)할 수 없을 줄로 생각(生覺)한다. 그러므로 총(銃)을 발명(發明)한 사람은 뒤에 대포(大砲)가 있을 줄을 알지 못하며, 유선전신(有線電信)을 발명한 사람은 뒤에 무선전신(無線電信)이 있을 것을 알지 못하며, 사진(寫眞)을 발명한 사람은 뒤에 활동사진(活動寫眞)이 있을 줄은 꿈도 꾸지 않은 것이다.

그러나 사람의 이지(理智)는 어디까지 함양(涵養)될 수 있으며, 사람의 능력(能力)은 어디까지 향상될 수 있는 것이다. 그러므로 몇 천 년(千年) 몇 만 년(萬年) 뒤에, 사람의 향상력이 절정(絶頂)에 달(達)할 때가 있다고 하면, 그때에는 모르겠으나 사람의 세상(世上)의 현실(現實)의 만족은 과장벽에서 일어나는 일시(一時) 만족이요, 실(實)상은 항상 불만족(不滿足)이 흘러다닐 따름이다. 그러므로 자기로서는 알지 못하나 뒷세상 사람, 즉 자기 후(後)예로서는 전(前) 세상 사람의 만족이 실상은 불만족이었던 것을 알게 되는 것이다. 그러한 까닭에 자기 민족

---

120) 벽(癖): 무엇을 치우치게 즐기는 성벽(性癖). 고치기 어렵게 굳어 버린 버릇.

의 발전을 기다리는 사람은 자기 자녀 되는 제2세 민족(第二世
民族)을 가르치며 배우게 하는 것이다. 어떠한 민족이든지 뒷
날의 자기 민족을 위(爲)하여 힘자라는 데까지는, 일호(一
毫)121) 반사(半些)122)도 티 없이, 흠점 없이 기르고 가르칠 의
무(義務)가 생겨나는 것이다.

이제는 우리 민족들도 교육(敎育)은 비단(非但) 남자에게만
한(限)하는 것이 아니요, 여자에게도 필요(必要)하다는 것을 깨
달았고 그에서 한 걸음 더 나아가지고, 여자 교육이-뒷날의 자
녀 교육의 가장 큰 힘이 어머니의 힘에 있다는 의미에서- 일층
(一層) 더 필요하다는 것을 느끼는 첫걸음을 옮기게 되었다. 그
러나 첫걸음이란 항상 부실하고 위험성(危險性)이 있는 것이다.

그런데 지금(只今) 우리 조선 여자 교육계(敎育界)에는 남의
민족에서는 별로 볼 수 없는, 우스운 저주(咀呪) 거리가 있는
것을 아는가? 그것은 별(別)다른 것이 아니요, 탕녀(蕩女)123)와
여학생을 구별(區別)하는 경계선(境界線)이 무너지게 된 것이
다. 다시 말하자면, 여성의 거동(擧動)이 여학생의 거동을 밟으
며, 매소부(賣笑婦)124)의 정장(正裝)125)이 여학생의 행색(行色)
을 쫓는 폐단(弊端)으로 인(因)하여, 은연중(隱然中)에 받는 저
주(咀呪)이다.

---

121) 일호(一毫): 한 가닥의 털이라는 뜻으로, 극히 작은 정도를 이르는
말.
122) 반사(半些): 반 반(半), 적을 사(些)
123) 탕녀(蕩女): 음탕한 여자.
124) 매소부(賣笑婦): 돈을 받고 남자에게 몸을 파는 여자.
125) 정장(正裝): 정식의 복장을 함. 또는 그 복장.

이 문제에 대하여 경솔(輕率)히 생각하고, 혹(或)은 예사(例事)로 생각(生覺)할는지도 모르겠으며, 혹은 이 문제(問題)를 끌어 내이는 것이 도리어 여학생들을 욕(辱)되게 하는 것이며 학부형(學父兄)으로 하여금 염려(念慮)를 작만126) 하게 하는 것이 아니겠느냐고 생각하는지도 모르겠으나, 우리는 첫걸음을 떼어 놓은 우리 조선 여자교육계에 이러한 폐단을 막기 위하여 이러한 주장(主張)을 하는 것이며, 이러한 생각으로 이러한 문제를 드러낸 것이다.

무슨 집회(集會)에서나 무슨 극장(劇場)에서나, 길거리에서나, 전차(電車)나, 기차(汽車) 안에서 기생(妓生)이나, 매소부나, 또는 그 종류의 여자, 즉 여학생들과는 구분하지 않아서는 안 될 여자들과, 배우는 때에 있는 여학생들이 함께 서가게 될 때에 그 두 가지 여자의 경계선이 분명하지 않아서는 안 될 터인데, 지금(只今)의 탕녀(蕩女)들이 여학생들의 행색(行色)을 차리고 다니는 까닭에 그 경계선은 아주 허물어지고 만다.

분별하는 힘이 적은 여학생들이, 자기의 행색을 한 탕녀들을 자기로만 알고 사귀게 되면=의지(意志)가 굳센 남자들도 모르겠거든. 하물며 중심(中心) 약(弱)한 여학생들이야= 유혹(誘惑)의 손에 붙들리는 폐단이 오죽이나 많겠으며, 방관(傍觀)하는 학부형들의 눈에 여학생의 행색을 한 탕녀들의 불미(不美)한 행동(行動)이 비칠 때에 여학생들의 풍기(風紀)가 그러한 줄로 알게 되는 데에서, 여자 교육계가 얼마나 큰 저주를 받게 되겠

126) 작만(作滿): '장만'을 한자로 빌려 쓴 말이다.

는가. 더욱이 새 교육을 받았다는 우리의 눈으로 구별할 수 없
으며 우리의 머리에 근래 여학생의 풍기가 문란(紊亂)하다는
생각이 떠오를 제야, 완고(頑固) 노부형(老父兄)들의 눈에야 어
찌 능(能)히 구별할 수가 있겠으며, 그들의 머리에야 얼마나 여
학생 풍기 문란이 크게 뛰돌겠는가? 그러므로 우리 조선 여자
교육계가 받는 저주는 여간 큰 것이 아닐 것이다.

이러한 생각으로 우리는=탕녀 그네들에게 제재를 주기는 아
무리 해도 능치 못하므로=여학생의 정복(正服) 문제를 끌어 내
인 것이다. 끌어 내이는 동시(同時)에 각(各) 여자 교육계 당로
자 현(當路者127) 賢)의 이 문제에 대(對)한 의견(意見)을 들어
서 게재(揭載)한 것이다.

본지(本誌)는 이 문제를 내호(來號), 내래호(來來號)까지라도
끌어가면서 우리의 주장(主張)의 관철(貫徹)을 기(期)하겠으며
끝으로 여자 교육을 생각하시는 여러분의 많은 고려(考慮)를
빌고 각필(擱筆)128)한다.

학부형(學父兄)의 말씀

풍기 문란의 대책(大策)과 교도(敎導) 상(上)으로도 시급

---

127) 당로자(當路者): 중요한 지위나 직분에 있는 사람.
128) 각필(閣筆/擱筆): 쓰던 글을 중간에 그만두고 붓을 내려놓음. 편지
    따위에서, 이제 그만 씀을 이르는 말.

(時急)한 문제: 김병준(金秉濬)

　여학생 정복(征服) 제정(制定)의 필요(必要)는 실(實)로 긴중(緊重)한129) 문제인데 이제야 논의(論議)되는 것은 오히려 늦었지요. 학교 당국(堂局)에서 벌써부터 상당(相當)한 의논(議論)이 있으리라 하였었는데 지금(至今)토록 아무런 발표(發表)가 없는 것은 좀 이상한 혹(或)조차 없지 않습니다.

　근래(近來)의 매소부 등(等) 잡배(雜輩)들이 여학생 틈에 숨어들어 그 풍기를 문란케 하는 것은 실로 우습게 볼 수 없는 큰 문제인 즉, 시급(時急)히 이에 대한 대책을 토구(討究)130)할 것은 물론이려니와 기위(旣爲)131) 여학생 제복 문제가 났으니 말 이외다만 근래와 같은 풍기 문제가 아니라도 원래(原來) 정복(正服) 제정(制定)은 필요한 것이라고 전(前)부터 생각하고 있었소이다.

　제일(第一) 정복 제정은 학생(學生) 자신(自身)에게 학교에 대한 일체(一切) 의무심(義務心)을 두텁게 할 것이니 단(單)이 자기는 여학생이거니 하는 평범(平凡)한 생각에서 나는 아무 학교 학생이거니 하는 데 나아갈 것이라 가정에서나 노상(路上)에서나 학교를 위하고 생각하는 것이 일시도 떨어지지 아니하여 스스로 그 행신(行身)을 주의(注意)하게 될 것이요, 제이

---

129) 긴중(緊重)하다: 꼭 필요하고 중요하다.
130) 토구(討究): 사물의 이치를 따져 가며 연구함.
131) 기위(旣爲): 다 끝나거나 지난 일을 이를 때 쓰는 말. '벌써', '앞서'
　　의 뜻을 나타낸다.

(第二)는 학교와 가정 간에 연결(連結)을 취(取)하는 큰 방편(方便)이 될 것이니 지금의 가정 부모는 내 딸은 신식(新式) 학교에 다니거니 할 뿐이요, 내 딸은 아무 곳 아무 학교 학생이거니 하는 확실(確實)한 생각이 퍽 희미한 것이 사실일 것 같으니, 내 딸은 학교에 보내거니 하는 뿐 외(外)에 그 학교에 관하여는 아무 아는 바가 없이 무관(無關)으로 지내는 터이라 이에 유표(有票)132)한 제복(制服)이 있으면 스스로 내 딸은 아무 학교 학생이거니 하는 것이 분명(分明)해질 것이요, 노상에서 모르는 여학생이라도 보고 그렇게 손쉽게 학교 그것이 가정생활 속에 숨어들기 시작(始作)하는 것이라 그 이익(利益)과 효과(効果)는 학생 교도(教導) 위에 크게 나타날 것이라 합니다.

그러니 풍기문란(風紀紊亂)에 대한 대책으로든지 학생 교도상(上)으로든지 일정(一定)한 정복 제정은 시급(時急)한 문제라 생각합니다.

제정(制定)하면 여행(勵行)133)에 힘써야 되오: 오화영 씨(吳華英 氏) 담(談)134)

참말로 큰 문제(問題)외다. 여학교(女學校)와 잡부(雜婦)들이 혼동(混同)되어서 그 구별(區別)이 선명(鮮明)치 못한 까닭으로

---

132) 유표(有票): 유표(有標)를 오기입 한 것으로 보임.(역자) 유표(有標): 어떤 표지가 있음.
133) 여행(勵行): 힘써 행함. 행하기를 장려함.
134) 담(談): 말씀 담(談)

그간(間)에 생기(生起)는 별별(別別) 좋지 못한 현상(現象)은 실(實)로 우리들이나 또는 현(現) 여자(女子) 교육(教育)에 당면(當面)해 계신 이들의 짐작 밖이라고 생각합니다. 잡부들이 여학생 가장(假裝)을 하거나 말거나 모를 일이나, 그 통에 여학생들이 통행(通行) 중(中)에 모욕(侮辱)을 당(當)하는 일이 많은 모양이요. 그보다도 더 견실(堅實)치135) 못한 여학생은 자꾸 나쁜 유혹(誘惑)에 빠져가는 것이 크게 한심(寒心)한 일입디다. 이것이야말로 변변치 않은 일을 크게 문제 삼는 것 같이 뵐는지도 모르나 참말로 이제 간신히 터가 잡혀가는 조선(朝鮮) 여자교육계(界)에 이보다 큰 문제가 없으리라 합니다. 실상(實相)은 학교 당국(堂局)에서 응당(應當) 하등(何等)의 고려(考慮)가 계시겠지 하고 기다리던 터입니다.

그런데 스스로 여학생이 여학생의 표(表)를 나타내는 밖에 별(別)수는 없겠는데 서울 어느 학교에서 치마에 두 줄 백선(白線)을 두른 것도 보았고 개성(開城) 호스톤 같은 데서 메달처럼 작은 표(表)를 만들어 가슴에 꽂게 하는 것도 보았는데 표는 아무렇게 하든지 좋을 것이나 메달 같은 것은 옷을 갈아입을 때마다 옮겨 달기도 불편(不便)한 모양인 즉 연전(年前)에 천도교인(天道教人)들이 손(孫) 선생(先生)의 상복(喪服)을 입던 것 같이 동정을 어떤 색(色)으로(반드시 흑색(黑色) 아니어도 좋으니) 제정(制定)해버리면 문제인 동정 개량(改良)도 되겠고 학생들에게 아무 불편도 없을까 합니다.

---

135) 견실하다(堅實하다): 하는 일이나 생각, 태도 따위가 믿음직스럽게 굳고 착실하다.

그러나 이상(以上)에 말씀한 것은 얼른 생각에 말씀한 것이고 나는 다른 일에 분망(奔忙)한 관계(關係)로 그 표를 어떻게 할까 하는데 하등 확실한 안(案)을 가진 것은 없은 즉 그것은 학교 당국에서 적절(適切)히 제정하실 줄 믿거니와 한 가지 말씀할 의견(意見)은 표는 여하(如何)히 하든지 한번 제정한 후(後)에는 통학(通學) 시(時)거나 재가(在家) 시(時)거나 아무 때나 반드시 그 제정한 것을 실행(實行)하도록 학교 당국에서 여행하여야 할 것이니 제정복(制定服)을 통학 시에만 입고 달리 외출(外出) 시에는 벗어버리게 되면 역시(亦是) 효과(效果)가 없이 될 것이라 처음 당시인 즉 그것을 역행하기 위하여 위반자(違反者)에 가혹(苛酷)한 처벌(處罰)을 하는 것도 결(決)코 부당(不當)한 일이 아니라 합니다. 그렇지 않고는 아무러한 표를 제정한 데도 효과가 적을 것 같은 즉, 학교 당국자 씨께 이 점(點)에 고려가 계시기를 성심(誠心)으로 바랍니다.

질박(質朴)하게136): 유성준 씨(兪星濬氏)137) 저(諸)

어떤 학교의 학생에게 대하여 그 학교의 학생 됨을 표해서 알게 하는 것, 그것은 물론 좋은 일입니다. 그 표는 입는 옷으로 하든지 형은 어떠한 마크로 하든지, 좋도록만 할 것이외다. 그러나 나는 이보다도 더 크고 더 근본이 되는 문제를 한 가지

---

136) 질박(質朴/質樸)하다: 꾸민 데가 없이 수수하다.
137) 유성준(兪星濬): 일제강점기 농상공부 회계국장, 충청북도 참여관, 중추원 참의 등을 역임한 관료. 친일반민족행위자.

제출하여야 하겠습니다.

그것은 다른 문제가 아니라, 여학생에게는 반드시 무명옷이나 베옷만 입혀야 쓰겠다는 말이외다. 달리 말하면 오늘날의 여학생들을 저 기생이나 창녀들과 뚜렷하게 구별할 유일한 제복(制服)은 무명이나 베로 만든 옷에 한한다는 말이외다. 만일 이와 같이 검소한 옷을 입히지 않고는 비록 여하히 제복을 만들고 마크를 만들지라도 모두 소용이 없을 것입니다. 기생이나 창녀가 제아무리 여학생 행세를 하려 하여도 그 무명옷과 그 베옷을 입을 수가 없어서 하지 못하도록 되지 않으면 안 될 것입니다.

사실 말이지 이즘의 여학생들은 그 옷이 너무 치합되다[138]. 치한 옷은 그대로 두고 거기에 모양이나 물색을 달리해서, 그 학교의 옷을 삼는다는 것이 무슨 소용이 있을 일이겠소. 이것은 오늘날 여학교 당국자로서, 두 번 세 번 생각할 일이라 합니다. 내가 중언부언할 것까지도 없겠지요 만, 사치하기 시작하는 것은 곧 모든 나쁜 짓을 하기 시작하는 것이외다. 천만 가지나 되는 나쁜 일은 모두 이 사치로부터 나오는 것입니다. 여자, 여학생들에게 있어는 특히 그러합니다. 내가 벌써 한 십 년 전에 신문지상에서 본 일인데 이태리(伊太利)[139] 나라에서 어떤 여학생 하나가 비단옷을 입고 거리에 나온 일이 있었는데, 그것이 곧 전국 신문의 삼면 기삿거리가 되며, 붓이라는 붓은 일제히 그녀 학생의 잘못을 공격하여 당시 사회에 큰 여론이 되

---

138) 여기에서 '치하다'는 사치하다의 준말로 짐작된다.(역자)
139) 이태리(伊太利): 이탈리아의 음역.

었다 합니다. 다른 나라에서는 모두 그러합니다. 나는 이렇게 생각하기 때문에 우리 조선 여학생에게는 무명과 베로써 만든 제복을 입혀야 쓸 것을 말하며 그렇게만 되면 여학생과 탕녀자는 스스로 구별이 되리라 합니다.

학교(學校) 당국자(當局者) 씨(氏)의 말씀

사회(事會) 인사(人士)의 고견(高見)에 맡깁니다: 여자보통고등학교 손정규(孫貞圭)[140]

저의 학교(學校)에서는 학생(學生)들 의복(衣服) 문제(問題)에 대(對)하여 별(別)로 의논(議論)이 없습니다. 저 역시(亦是)

---

140) 손정규(孫貞圭): 일제강점기 조선임전보국단 발기인, 조선교육심의회 사범교육위원 등을 역임한 교육자. 친일반민족행위자. 1896년 서울 출생. 1911년 관립경성여자고등보통학교를 제1회로 졸업하고 1918년 관비유학생으로 일본 도쿄여자고등사범학교 부설 제6임시교원양성소 가사재봉과 청강생으로 입학했다. 1922년 4월 귀국 후 경성여자보통고등학교의 교유 겸 사감이 되어 1941년까지 재직했다. 1922년 5월 조직된 조선여자청년회에 참여했고 1927년 근우회 발기인으로 참여했다. 1936년 조선총독부 사회교육과 주최 반도신여성간담회에 참여한 것을 시작으로 조선총독부의 사회교화활동에 적극 참여했다. 해방 이후 1945년 10월 경성여자사범학교장으로 지냈고 1947년 서울대학교 사범대학 교수로 임용되었다. 저서로는 1925년 집필한 우리나라 최초의 재봉교과서인 『재봉참고서』와 1949년 우리나라 여자중학교에서 처음 채택한 『가사』 교과서를 저술했다. 그러나 손정규의 여러 행적은 「일제강점하 반민족행위 진상규명에 관한 특별법」 제2조 제11·13·17호에 해당하는 친일반민족행위로 규정되어 『친일반민족행위진상규명 보고서』 IV-8: 친일반민족행위자 결정이유서(pp.537~574)에 관련 행적이 상세하게 채록되었다.

무슨 생각(生覺)을 못하였습니다. 말씀하시니 말이지 여학생(女學生)의 표준(標準) 의복을 제정(制定)할 것은 현하(現下)의 사실(事實)인가 합니다. 사회(事會)의 고명(高明)한 이들의 여론(輿論)과 의견(意見)을 기다릴 밖에 없습니다. 그리고 우리 학교에서는 여름 한 절(節)만 흰 저고리 검정치마를 입게 되고 가을로 봄까지(10월 1일 지(至) 3월 말일)는 저고리와 치마가 전(全)혀 검으니까 특별(特別)한 표적(標迹)은 아니지만 그나마 분별(分別)은 되겠지요. 그도 금년(今年)에는 아직 실행(實行)을 아니시켰습니다. 우리 학교(學校) 교장(校長)선생(先生)님이 말씀하기를 의복(衣服)에 대하여 너무 구속(拘束) 또 제한(制限)을 하는 것은 그들의 의복에 대(對)한 자유(自由)로운 미감(美感)을 손(損)케 한다고 자유로 방임(放任)함도 무방(無妨)하다 하여 아직 그대로 두었습니다.

여학생 의복에 대하여는 저 역시 생각은 합니다만 무슨 구체적(具體的) 직안(織案)[141]이 없으니까요. 아직은 대답(對答)이 좀 어렵습니다.

문제(問題)의 깃 동정: 정신여학교사(貞信女學校師) 방신영(方信榮)[142]

네. 과연(果然) 좋은 문제(問題)올시다. 저의 학교(學校)에서

---

141) 직안(織案): 짤 직(織), 책상 안(案)
142) 방신영(方信榮): 일제강점기 『요리제법』·『조선요리제법』 등을 저술한 학자. 1910년 정신여학교를 졸업하였고 1929년부터 이화여자전문학교 및 이화여자대학교 가정대 교수로 활동했다.

도 학생(學生)들의 의복(衣服) 문제(問題)로 뇌(腦)를 쓰고 있습니다. 여학생(女學生) 의복과 화류 통(花柳 通) 의복과 혼동(混同)이 된 것은 우리 사회(社會)의 큰 수치(羞恥)올시다. 흰 저고리 검정치마는 본래(本來) 우리 학교의 교복(校服)이었습니다. 지금(至今)은 모든 학교가 다 그렇게 되었지만…….

그런데요, 저는 이렇게 생각합니다. 치마는 무론(毋論)143) 그대로 두되 너무 짧아지는 것은 좋지 못하고요, 또는 질(質)이 너무 뻣뻣한 것을 취(取)하는 것이 안되겠어요. 부드러운 질(質)이라도 풀 같은 것을 세게 하여 뻣뻣하게 자꾸 부풀어 늘어서는 것은 좋지 못합니다. 입은 모양도 뚜뚱한 것이 보기 싫고 동작(動作)에도 편(便)치 못합니다. 될 수 있는 대로 부드럽고 순한 바탕에다 그리 짧지 않게 해서 몸이 호리호리하게 하는 것이 좋겠고요. 저고리로 말하면 지금보다 좀 더 길게 할 필요(必要)가 있고 동정이란 없이 했으면 좋겠어요. 때가 물으면 보기 싫은 것은 고사(姑捨)하고 이어 주저앉거나 오그라드니까 보기에 아주 안 되었어요. 그러니까 동정을 아주 없애는 것이 좋겠어요. 중국(中國)옷 비슷하게 되지만…….

지금 입은 이 저고리 그대로에 동정을 없이하고 양복(洋服)의 뒷모양으로 전후(前後) 고(高)가 같이 하든지……. 어쨌든 나는 동정이 큰 문젯거리외다. 그리고 소매를 알맞춤해야겠습니다. 너무 짧아 팔뚝이 활짝 드러난다든지 너무 길어 소매를 걷게 된다든지 그것이 안 된 것이에요. 소매를 길게 하여 그것

---

143) 무론(無論/毋論): 말할 것도 없음. 말할 것도 없이.

을 도로 걷어붙이는 것은 본래 예도(禮道)는 아니외다. 일할 때나 그리할 것이지 교제(交際)상(上)이나 젊지 않은 출입(出入)에야 실례(失禮)가 아닐까요.

아직 확실(確實)한 고안(考案)이 없으니까요. 어쨌든 동정 없애자는 것이 나의 주론(主論)이고요. 학생 된 특별(特別)한 표(表)도 동정 문제가 잘 개량(改良)되면 해결(解決)될 줄 압니다.

흰줄 두 줄은 우리 제복(制服): 진명여자고등보통학교 부교장(進明女子高等普通學校　副敎長)　코스기히코지(小杉彦治)144)

일본(日本)에서도 여학생(女學生) 교복(校服) 문제(問題)로 한동안 머리를 쓰게 하더니 지금(只今) 와서는 양복(洋服)을 대개 입게 되었습니다만 조선(朝鮮) 여학생(女學生) 의복 문제는 일본에서 문제로 하던 것보다 다른 조건(條件)이 또 하나 붙게 되어서 교원(敎員)들이 여러 가지로 생각(生覺)하던 터였습니다. 첫째로는 학생(學生)과 학생 아닌 여인(女人)과 구별(區別)할 수 없는 데서 일어나는 폐단(弊端)을 막을 일과 둘째로는 학교와 학교 사이에 자기(自己) 학교 생도(生徒)를 구별하는 것

---

144) 원 표기는 '小杉彦次'로 되어있으나 신여성 창간호와 국사편찬위원회가 제공하는 한국근현대인물자료를 교차 검토하여 정확한 인명을 표기합니다. 아울러 '(다시 읽는) 신여성 창간호' 내 이름 표기 역시 착오가 있어 이번 호 해석에서 바로잡습니다.(역자)

이 어느 방면(方面)으로 보든지 필요(必要)할 줄로 생각해서 기어코 고치기로 작정(作定)을 하고 나서 경제(經濟) 방면(方面)으로라든지 수공(手工)의 관계(關係)로 라든지 어느 편(便)으로든지 좋은 것을 생각하려니까 좀 어려웠습니다. 양복을 해 입히자니 수공도 만만히 들고 경제 문제도 일어납니다. 겨울에는 해 입기가 여간 형세 가지고는 어렵겠으며, 조선(朝鮮) 옷에 염색(染色)을 하자니 그것 역시(亦是) 어렵고 일본인(日本人) 측(側) 학교의 제이고등여학교(第二高等女學校)와 같이 학교 휘장(徽章)을 붙인 띠를 띠자니 그도 역시 돈이 들 것입니다.

그래서 돈도 그중 적게 들고 수공도 그중 적게 걸리게 하기 위(爲)해서 항용(恒用) 학생들이 입는 흰 저고리 검정치마를 입게 하는데, 치마 끝에다가 흰 줄 두 줄을 둘러서 입도록 작정을 하고 벌써 금년(今年) 봄부터 실행(實行)을 해 내려옵니다. 그것은 불과(不過) 2, 3전(錢) 밖에는 안 드는 것이요, 수공도 썩 적게 드는 것입니다.

그리고 의복감으로는 여름에는 하는 수 없이 모시 것이나 베 것으로 해 입습니다만 겨울에는 모두 무명으로 해 입도록 했습니다. 그러나 혹시(或是) 제복(制服)들을 다시 안 입는 폐단이 생길까 해서 "너희들이 만일(萬一) 제복을 아니 입을 것 같으면 그것은 이 학교를 싫어하는 것이야. 학교가 싫은 생각이 있거든 퇴학(退學) 청원(請願)을 하는 것이 좋다." 이러한 말을 가끔 들려줍니다. 그리고 거리에서 우리 학교 학생으로서 제복을 안 입고 다니는 학생을 보면 입고 다니라고 주의(注意)도

시키기로 했습니다. 그러나 아직까지는 별(別)로 싫어하는 눈치도 보이지 않고 도리어 좋아서들 입고 다니는 모양(模樣)입니다.

학생(學生)들로 하여금 먼저 정복(正服)의 필요(必要)를 깨닫게 하라: 숙명여자고등보통학교 교무주임(淑明女子高等普通學校 敎務主任) 야마노우에초지로(山野上長次郞)[145]

남녀학생(男女學生)을 물론(勿論)하고 지금(只今)의 교육(敎育) 방법(方法)은, 메이지(明治) 연분(年分)[146]이라든지 다이쇼 초년(大正 初年)[147]과 달라서, 될 수 있는 대로 생도(生徒)들로 하여금 학교(學校)의 규정(規定)이라든지 또는 선생(先生)의 어떠한 간섭(干涉) 아래에서, 쪼들려 지내지 않는 한도(限度)에서 배우게 하는 것이라고 생각(生覺)합니다. 그러므로 우리 학교육(學校育) 방침(方針)도 또한 그러한 방법(方法)을 쫓고자 하는 데 있습니다.

이제 우리 학교 생도 복장(服裝) 문제(問題)에 대(對)하여 나의 의견(意見)을 말씀할진대, 본래(本來) 우리 학교에는 다른 학교들보다 매우 먼저 정복(正服)의 필요(必要)를 깨닫고 입기 시작(始作)한 제복(制服)=자줏(紫朱)빛치마=가 있었습니다만

---

145) 창간호에서 '야마노에초지로'로 오기하여 바로잡습니다.(역자)
146) 연분(年分): 일 년 중의 어떤 때.
147) 1912년

지금(只今)에 와서는 흐지부지 없어지게 되었습니다. 이 전(前)에는 어느 때든지 반드시 무리(無理)로라도 정복을 입고 다니도록 했었던 까닭에 생도들은 싫은 것을 억지로라도 학교 명령(命令)을 맹종(盲從)[148]키 위(爲)하여 그 정복을 입고 다녔습니다만 이즈음에 와서는 앞에 말씀한 것과 같은 방침(方針)으로 생도들에게 무리하게 억지로 시키고 싶지 않다는 생각으로 그대로 내버려두었더니 차차 정복 입고 다니는 생도는 볼 수가 없이 되었습니다. 그러나 지금도 오히려 무슨 예식(禮式)이 있는 날 같은 때는 정복을 입고 등교(登校)케 하는 터이올시다. 그러니까 아직도 정복이 아주 없어진 것은 아니올시다. 있기는 있으나 싫어서 그러는지 또는 경제(經濟)상(上) 관계(關係)로라든지 또는 무슨 다른 사정(事情)이 있어서 그러는지는 알 수 없습니다만 생도들이 입지 않는 것이올시다.[149]

그러니까 지금 내가 생각하는 바는 갑자기 명령(命令)을 내려서 정복을 꼭 입고 다니라고 해서 생도들로 하여금 억지로 입게 하고 싶지는 않고, 이로부터 학교에서라든지 또는 귀지(貴誌)와 같은 잡지(雜志)에서 학생들로 하여금 각각(各各) 소

---

148) 맹종(盲從): 옳고 그름을 가리지 않고 남이 시키는 대로 덮어놓고 따름.
149) 숙명고등여학교는 순헌황귀비의 지원으로 1906년 명신여학교로 설립, 1907년 자주색 서지(serge)로 만든 원피스, 보닛(bonnet), 구두로 된 양장을 여자 교복으로 지정했다. 1910년 8월 일제의 국권 피탈, 1911년 반포된 제1차 「조선교육령」에 의해 한성을 경성(京城)으로 개칭하고, 대학을 설치하지 않고, 고등학교를 고등보통학교로 강등하며 한국인과 일본인의 교육을 차별했다. 1911년 숙명여자고등보통학교로 개칭하고 교복은 민족주의의 발로로 양복 교복에서 한복 교복(흰 저고리와 자주색 치마)으로 바뀌었다.(출처: 한국민족문화대백과사전, 교복)

정(所定)150)한 정복을 입지 않으면 안 되겠다 하는 관념(觀念)이 생기게 하여 자진(自進)하여 일치(一致)해지게 하는 것이 가장 양책(良策)일 것이라고 생각합니다.

그리고 일반(一般) 조선(朝鮮) 여자(女子) 의복(衣服) 개량(改良) 문제(問題)에 대(對)해서는 매우 어려운 문제라고 생각합니다. 인습(因襲)이라는 것을 일조(一朝)에는 깨치기 도저히 어려운 것입니다. 그러기에 옛날에는 의복 개량을 국령(國令)으로 시행(施行)하였었던 것입니다. 그러니까 그것도 또한 귀지와 같은 데서 늘 문제를 만들어가지고 차차 차차 자연(自然)히 고쳐나가게 하는 것이 좋을 줄로 생각합니다.

그리고 내가 본 바 조선 여자 의복의 개량할 점(點)은 첫째로는 젖가슴을 매지 않도록 할 것이요, 둘째로는 아래 옷 말기 길이를 볼 맵시 있게 적당(適當)하게 할 일인데 그에는 될 수 있는 대로 가정(家庭)에 계신 부인(婦人)들과 학교에 다니는 학생들과 치마 길이 같은 것을 좀 구별이 있게 했으면 좋을 줄로 생각합니다. 학생들은 짧게 하고 부인들은 길게 하는 것이 좋을 줄로 생각합니다. 그리고 끝으로 한 가지 말씀할 것은 학생들의 신은 경제상 문제가 있겠습니다만 모두 구두를 신는 것이 좋다고 생각합니다.

---

150) 소정(所定): 정해진 바.

아직 고려(考慮) 중(中)에 있습니다: 동덕여학교장(同德女學校長) 조동식(趙東植)[151]

여학생(女學生)들의 의복(衣服) 말씀입니까. 말씀을 하니 말이지 참말 문제(問題) 중(中)에 대(大)문제올시다. 저의 학교(學校)에서도 이 문제로 인(因)하여 직원(職員)회의(會議)까지 몇 번 열은 일이 있습니다. 그러나 아직껏 무슨 결정(決定)은 없습니다. 상당(相當)한 묘법(妙法)[152]이 용이(容易)히 아니 생깁니다. 질(質)은 무론(毋論) 튼튼하고도 값싼 것이 좋겠고 또는 보통(普通) 가정(家庭)에서 용이히 지을 수 있도록 무슨 방편(方便)을 취(取)해야겠는데요.

각각(各各) 숙제(宿題)로 하여 아직 고안(考案) 중(中)에 있으니까 다음 기회(機會)로 미루십시다. 어쨌든 여학생의 의복과 화류계(花柳界)의 의복이 같이 유행(流行)되는 것은 큰 문제외다. 그로하여 여학생도 상(祥)스럽지 못한 평(評)을 받게 되고

---

151) 조동식(趙東植): 해방 이후 동덕학원 이사장, 성균관대학 초대 이사장, 중앙교육위원회 의장 등을 역임한 교육자. 친일반민족행위자. 1908년 동원여자의숙을 설립했다. 학생은 11명인데 학비를 전액 무료로 하여 민족의식 고취와 국권회복을 꾀하는 데 교육의 중점을 두었다. 생을 마칠 때까지 동덕학원 건설에 헌신했다. 1942년 징병제도를 역설하는 기고문을 신문에 발표하는 등 전쟁협력을 강조하는 여학생 교육을 주도했다. 이러한 활동은 「일제강점하 반민족행위 진상규명에 관한 특별법」 제2조 제13호에 해당하는 친일반민족행위로 규정되어 『친일반민족행위진상규명 보고서』 IV-16: 친일반민족행위자 결정이유서(pp.717~746)에 관련 행적이 상세하게 채록되었다.(출처: 한국민족문화대백과, 한국학중앙연구원)
152) 묘법(妙法): 매우 교묘한 꾀.

교육당국자(敎育當局者)에게도 큰 걱정을 끼치게 됩니다. 어쨌든, 여학생에게 대한 표준(標準)의복(衣服)이 하루바삐 생겨야 되겠습니다.

휘장(徽章)을 만들어 달라: 숙명여자고등보통학교 교사(淑明女子高等普通學校 敎師) 성의경(成義敬)

애매하게 아무 죄 없이 치의[153]를 받는 것은 참말 원통한 일이라고 생각(生覺)합니다. 요사이 거리에 나가보면, 차림차림에는 꼭 학생(學生) 같은데, 학생 아닌 여자(女子)가 많이 보입니다. 그런데 그들은 여염집 부인(婦人)들도 아니요, 모두 기생(妓生)들이나 그렇지 않으면 남의 소실(小室)들이라고 합니다. 그런 이들이라고 학생과 같이 머리를 틀어 얹고 구두를 신고 다니지 말라는 법(法)이야 어디 있겠습니까만 그들이 그렇게 차리고 다니는 까닭에 학생들과 그들과 구별을 할 수가 없으니까 문제(問題)가 생기는 것이올시다. 구별을 하기 어려울 뿐이고 다른 문제가 생기지 않을 것만 같으면 그것도 아무 관계(關係)가 없겠지요마는, 학생들의 행동(行動)과 그들의 행동은 아무리 해도 다를 것입니다. 학생들과 같은 행동을 하지 못하는 데서 문제가 일어나는 것이올시다. 문제는 별(別)다른 것이 아니요, 학생들의 풍기(風紀)가 문란(紊亂)해지는 것은 아니지만, 세상(世上)의 이목(耳目)이 학생계(學生界)의 풍기가 문란해진 것으로 보아주는 데서 문제가 생깁니다.=참으로 죄 없이 치의

---

153) 치의(致疑): 의심을 둠.

를 받는 학생들을 위해서 분한 일이올시다.= 문제가 다만 그에 그치고 만다고 할 것 같으면 그래도 좀 낫겠습니다만 여자 교육의 전정(前程)154)에 대(對)한 크게 거리낌이 그에서 겹쳐 일어나게 됩니다. 그 까닭은 따님을 두시거나 누이님을 두신 학부형(學父兄)의 눈에 여학생으로 보이는 여자들의 행동이 불미(不美)할 것 같으면 여자를 학교에 보내심에 대하여 주저하실 것입니다. 얼른 생각하기에는 오직 구별만 할 수 없는 것 그뿐으로 생각하기 쉽습니다만 실(實)상 그에서는 이렇게 큰 문제가 일어났습니다.

그러하니 이 문제를 장차(將次) 어찌해야 잘 해결(解結)을 하겠습니까. 그네들더러 학생들과 같이 차리고 다니지 말아 달라고 간청을 하겠습니까. 또는 무슨 특별(特別)한 제재를 그들에게 줄 수가 있겠습니까. 그는 모두 다 안 될 일이요, 학생들이 그들과 다르게 차릴 무슨 조처(措處)를 해야만 될 것밖에는 별도리(別道理)가 없습니다. 그러니까 학생의 복색을 고친다든지 또는 무슨 표를 만들어서 단다든지 해야만 되겠는데, 이에 이르러서는 나는 또 이렇게 생각합니다. 복색을 고치는 것은 매우 어려울 줄로 생각합니다. 이에 대해서는 내가 지내본 이야기를 좀 하겠습니다. 원래(元來) 우리 숙명학교(淑明學校)는 처음부터 제복(制服)이 있었습니다. 맨 처음에는 자줏빛=일본말로 에빗자155)=양복(洋服)들을 만들어 입었습니다. 그다음에는 그 빛으로 조선옷 치마저고리를 만들어 입게 되었었고 그다음

---

154) 전정(前程): 앞으로 가야 할 길.
155) 에빗자: [일본어] えび-いろ (葡=萄色) 포도색을 뜻한다.

에는 그 빛으로 치마만 하나씩 만들어 입었었습니다. 그와 같이 차차 경제 방면으로라든지 또는 편불편(便不便)으로라든지 바뀌어서 나중에는 치마만 만들어 입게 되었었는데, 지금에 이르러서는 치마도 그 빛으로 만들어 입지 않게 되고 무슨 식(式) 같은 것이 있는 날이나 겨우 제복인 자줏빛 치마를 입고 오게 되었습니다만, 당초에는 무슨 양속(洋屬)156)으로 일제히 만들어 입던 것인데 경제상 관계로 그렇게 할 수가 없고 제각기 물을 들여 만들어 입는 것이라 빛도 일치하지 못하고 또는 생도(生徒)들이 입기들을 싫어합니다. 우리도 이 학교 학생으로 있을 때에 제복을 퍽 입기 싫어했었습니다. 다른 사람들은 또 무슨 생각이 있어서 싫어하는지는 모르겠습니다만 나는 단지 커다라니 자줏빛 치마를 입는 것이 부끄러운 것 같기도 하고 또는 공연히 싫은 생각이 나서, 제복이 없어졌으면 좋겠다고 생각했습니다만 그때는 이 학교가 지금과는 교육(教育) 방법(方法)이 달랐었던 까닭에, 부득이(不得已) 입고 다니느라고 자주 치마를 책보에다가 싸가지고 와서 학교 교문(教門)에서 입고 들어온 일까지 있습니다. 그리고 같은 의복을 학교에 올 때나 달리 나들이를 할 때도 항상 입게 하기는 매우 어려울 것입니다. 그러니까 의복의 빛으로라든지 또는 그 외에 어떻게 의복으로 표를 하겠다는 것은 매우 어려울 줄로 생각합니다.

그러니까 제 생각 같아서는 남학생(男學生)들과 같이 무슨 휘장을 만들어서 가슴 같은 데다가 차고 다니게 하는 것이 그중 상책(上策)이 아닐까 합니다.

---

156) 양속(洋屬): 서양에서 만든 피륙. 서양 물건. 서양 족속.

이렇게 정(定)했소이다: 배화여학교 교사(培花女學校 教師) 김윤경(金允經)[157]

기생(妓生)뿐만은 아니겠지만 좌우간(左右間) 모든 잡배(雜輩)들이 여학생(女學生)을 꾸미고 주야(晝夜) 횡행(橫行)[158]하는 것은 여러 가지 점(點)으로 보아 우리 여자교육계(女子教育界)에 심상(尋常)치 아니한 큰 문제입니다. 일반(一般) 학부형(學父兄)이시나 사회(事會) 유지(有志)께서도 이에 대(對)한 고려(考慮)가 많겠지만 우리 학교에서는 벌써부터 그 문제를 위(爲)하여 여러 가지로 많이 생각해 온 결과(結果) 금번(今番)에 학생 제복(制服)을 이렇게 아주 작정(作定)하였습니다.

일(一). 색(色): 상(上) 백(白) 하(下) 흑(黑)
이(二). 재료(材料)
　　가. 본토(本土) 소산(所産)
　　나. 사치품(奢侈品)이 아닌 것
　　다. 경제적(經濟的)인 것
　　라. 위생적(衛生的)인 것
삼(三). 교표(教表): 원내(圓內)에 배화학교(培花學校)의 두자(頭字) P. W. S 삼자(三字)로 합성(合成)한 금속(金屬) 핀을 반드시 좌흉(左胸) 상(上)에 붙일 일

---

157) 김윤경(金允經): 학자이자 교육자이며 국어학자. 1922년부터 배화여학교에서 국어와 역사를 가르쳤다. 『조선문자급어학사』, 『나라말본』, 『중등말본』등을 저술하였다.
158) 횡행(橫行): 모로 감. 아무 거리낌 없이 제멋대로 행동함.

생각껏은 이렇게 실시(實施)해 나가면 결(決)코 여학생 자신(自身)을 너무 구속(拘束)하거나 개성(個性)을 무시(無視)하는 것도 아닐 것이고 배화(培花)학교 학생이란 것도 일견(一見) 명료(明瞭)할 것 같습니다. 그리고 우리 학교에서는 평소(平素)에 늘 교사(敎師)들이 학생의 가정을 자주 방문(訪問)하는 터인 즉 가정에 있을 때에는 이 규정(規定)에 어기지 않을 것을 잘 감시(監視)할 수 있습니다.

교표(敎表)는 벌써 주조소(鑄造所, 日本)로 주문(注文)해 두었으니까 즉시(卽時) 실행(實行)되겠습니다.

듣던 말과 다른 조선(朝鮮) 신여성(新女性): 금성(金星, 주요섭)

김 형(金兄), 부인(婦人) 문제(問題)가 지금 우리 조선(朝鮮)에 큰 문제 중 하나인 것은 사실이올시다. 그러나 거기 대(對)해서 내가 본대로 한마디 쓰지 않을 수 없습니다.

제가 외국(外國) 있는 동안 듣기에는 "우리 조선 신여자들은 너무 사치하여져서 안되었어, 안되었어." 하는 소리뿐이었습니다. 요새 여학생들은 영어나 하고 음악이나 하고 몸치장이나 할 줄 안다는 등, 요새 여자들은 의복을 너무 사치하게 입는다는 등, 여러 가지 이야기를 귀가 씌어지게 들었었습니다. 그러므로 제가 본국(本國) 와서, 또한 이 점(点)에도 상당(相當)한 주의심(注意心)을 가지고 관찰하기에 이르렀습니다.

"우리 조선 여학생은 사차하다." 하는 것은 거짓말이외다. 공연히 흠을 잡으려고 '그의 발뒤축이 닳겠다.' 고 흉보는 것과 꼭 같은 심리(心理)에서 나온 말에 지나지 않습니다. 제가 서울서나, 개성서나, 평양서나 거리에나 만나는 많은 여학생들을 볼 때 지금 여름날에도 흰 구두 한 켤레 신고 다니는 것을 보기가 힘들었습니다. 더욱이 어떤 이는 남자 구두 같은 것을 신고 다니는 이도 있었습니다. 비단을 감고 다니는 중국 여자나 실크를 휘휘 두르고 다니는 서양 여자들과 비교할 때 어림도 없이 검박합니다[159]. 혹은 우리나라 경제력의 상태로 보아 좀 과도히 한다는 비평이 있을지 모르겠습니다. 그러나 그것도 현대(現代) 우리나라 소위 남자 신사들의 몸차림과 비교하면 보잘 것도 없게 됩니다. 파나마160)나 맥고모자161), 금테 안경, 금시계(金時計), 상아(象牙) 단장(短杖)162), 킷트구두, 80원(八拾圓)짜리 양복, 백금(白金) 커프스 버튼, 실코 화이트 셔츠 등을 소유(所有)한 남자가 많은 것으로 보면, 한 켤레 검은 폭스구두, 출타(出他)할 적에나 입는 한양사163)치마나 한 벌, 3원(三圓)짜리 파라솔이나 한 개를 소유한 여자들이 그리 사치하다고 할 수는 도저히 없습니다. 다만 신(新)여자는 구(舊)여자보다 외출(外出)할 때는 좀 더 깨끗한 옷을 입는다고는 판단할 것입니다만 조금도 사치하다고 할 수 없습니다.

우리 조선 신여자의 의복은 보기 좋은 것이었습니다. 그러나 아직 저고리가 조금 짧은 감(感)이 있습니다. 조금 더 저고리를 길게 했으면 하는 생각이 있습니다. 더욱이 시집간 여자는 저

---

159) 검박(儉朴)하다: 검소하고 소박하다.
160) 파나마모자(panama帽子): 파나마모자풀의 잎을 잘게 쪼개어서 만든 여름 모자. 현재는 흔히 페도라(fedora)라고 불린다.(역자)
161) 맥고모자(麥藁帽子): 맥고로 만든 모자. 개화기에 젊은 남자들이 주로 썼다. 현대에는 주로 밀짚모자라고 부른다.(역자)
162) 단장(短杖): 짧은 지팡이.
163) 한양사(漢陽紗): 경사에는 silket, 위사에는 견사를 사용한 견면교직물로 紗 및 평직 모기장, 호박 등이 있다. (출처: 인문정보위키, 兪水敬,「韓國女性洋裝의 變遷에 관한 研究」, 박사학위논문, 이화여자대학교, 1989, 96쪽; 朝鮮總督府(1913) 京城仁川商工業調査. 재인용.) 두께는 얇았던 것으로 보이며, 여름용 원단으로 썼고 가격은 1924년 기준하여 한 필에 1원 60전부터 1원 70전짜리까지 있었다. (출처: 조선일보 1925. 7.8. '여름누에치는 법 5 여름누에치는이의준비할일', 동아일보 1924. 6.4. '녀름사리가지가지'.)

고리를 길게 하여서 그 큰 젖통을 척 드러내 놓고 다니지 않도록 해야 할 필요(必要)가 있습니다.

우리나라 여자들은 아직도 너무 수줍어하는 기분(氣分)이 있습니다. 거리에서 길을 갈 때도 떳떳이 앞을 내다보고 활발하게 걷지를 못하고 항상 허리를 구부리고 고개를 푹 숙이거나 아는 사람 만나면 파라솔로 얼굴을 가리고 지나가는 일이 많은 것을 보았습니다. 그렇다고 또 그러면 그이들이 도무지 남자를 대하기가 싫어서 그러느냐 하면 꼭 그런 것도 아니외다. 제 딴에는 고개를 숙이고 가면서도 곁눈질로 지나가는 남자의 얼굴을 힐끔힐끔 넘겨다보지 않는 것도 아니었습니다. 우리가 늘 중국을 미개(未開)한 나라라고 흉보나 그러나 사실 말이지 중국 여자는 우리나라 여자보다 훨씬 낫습니다. 그들은 길 가다가 멀리서부터 어떤 남자가 마주 온다고 길 한편 가로 비틀비틀 쫓기어 들어가지도 아니하고, 어떤 남자가 길을 묻거나 무슨 말을 묻는다고 낭패한 듯이 어물거리지도 않습니다. 일본 여자들도 그러지 않습니까? 하필 왜 우리나라 여자들만 그렇게까지 부자연(不自然)하고 보수적(保守的)일까요?

김 형(金兄), 여자들이 들으면 매우 싫어할 이야기올시다만 말을 아니 할 수가 없습니다. 물론 현금(現今) 우리나라 형편으로 보면 남자들도 모두 다 그렇습니다만 더욱이 여자계에서 심한 나쁜 현상이 있습니다. 그것은 곧 그들이 처녀(處女) 때 받은 교육(敎育)이 시집간 후에 응용되지 아니하는 일이외다. 그들은 물론 중학교(中學校)에서 가정(家庭)은 어떻게 깨끗하게 하는지, 아이164)는 어떻게 길러야 하는지, 아이의 심리(心理)며 생육(生育)은 어떤 것인지, 주부(主婦)의 할 직분은 어떤 것인지를 다 잘 배웠을 것입니다. 그러나 그들이 한번 시집가서 사는 꼴을 보면 그 대부분(大部分)은 공부(工夫) 아니 한 여자의 살림이나 별로 다름이 없이한다는 말이외다. 집은 그냥 더러운 대로, 아이는 그냥 때가 새까만 대로, 또 저 자신도 젖통 내놓은 대로, 치맛자락으로 콧물 씻는 그대로 살아가는 사람이 많은 것을 발견하였습니다. 이것이 물론 한편으로는 반쪽 두루뭉수리의 교육을 받았다는 것도 한 가지 이유이겠지만은 그래도 십여 년(十餘年)이나 학교를 다녔다는 여자로서 공부 아니 한 책임(責任)이 또한 그 여자 자신에게도 얼마만침 없다고 할 수는 없습니다. 더욱이 처녀 적에는 얼마간이라도 사회적(社會的)으로 생활(生活)하던 여자가 한번 시집을 간 후에는 그만 그 가정 또는 남편(男便)에게 종된 몸 되어서 그 일생(一生)을 가정이라는 감옥 속에서만 썩이고 말게 하는 것은 현(現) 우리 사회 제도가 우리에게 주는 한 독약(毒藥)일 것이올시다.

김 형, 저는 서울서 어떤 이의 결혼식(結婚式)을 거행(擧行)하는 것을 본적이 있습니다. 그리고 저는 즉시로 그 광경(光景)을 「장례식(葬禮式)」이라고 제 친구(親舊)에게 말한 일이 있습니다. 한없이 즐거워야 할 결혼식이 한없이 장엄하였습니다. 한없이 자유(自由)스러워야 할 결혼식이 한없이 예법(禮法)이라는 것에 구속(拘束)되어있습니다. 한없이 자연(自然)스러워야 할 결혼식이 한없이 부자연(不自然)스럽고 부조화(不調和)스럽

---

164) 원 표기: 아해.

습디다. 이것도 또한 사회제도의 한 죄악이겠지요만. 한없이 즐거워해야 할 신혼(新婚)이 어쩔지를 모르고 쥐구멍을 찾고 싶다는 고민 속에서 그 몇 시간을 지나는 것 같이 보였습니다. 결혼식은 마땅히 즐겁게 지내야 할 것입니다.

그런데 김 형, 저는 우리나라 사람의 이중(二重) 삼중(三重) 생활(生活)에 놀라지 않을 수 없었습니다. 정초(正初)도 두 번 겪고, 말도 적어도 두 나라말을 알아야 되며, 의복의 이중(二重), 주택(住宅)의 삼중(三重) 등(等) 생활(生活), 참으로 머릿살 아픈 생활임을 면(免)치 못합니다. 그런데 이 모든 것 보다 결혼식까지 이중식(二重式)이었다는 말에는 입을 벌리지 않을 수 없었습니다. 어서 바삐 우리 생활을 좀 더 단순화하지 않으면 아니 되겠습니다. 이 이중생활의 고통은 우리 뇌를 마비시키고 우리 생활에 싫증을 내게 합니다.

김 형, 이번 동경(東京) 학우회순회강연단(學友會巡回講演團) 중(中) 한 사람은 그 강연에서 "조선인(朝鮮人)은 아직 사회생활에 체험(體驗)이 없다. 우리는 아직 가정이라는 좁은 범위 안에서 산다." 하는 말을 하는 것을 들은 적이 있습니다. 과연(果然) 옳은 말이 아닙니까? 바로 어제저녁일이올시다. 제가 다니던 소학교(小學校)에서 졸업생(卒業生) 정기(定期) 동창회(同窓會)를 모이겠다고 신문(新聞)에 광고(廣告)를 내었었는데 평양 시내(市內)에만 하여도 회원(會員)이 백여 명(百餘 名)이 되는데, 정각(定刻)에 출석(出席)한 회원이 겨우 6명이었습니다. 김 형, 놀라지 마십시오. 그래서 정각에서 1시간 30분을 지난 후까지 회원 정수(定數)가 모이지 못했으므로 종래 유회(流會)165)해버렸는데 그때 겨우 12명이었습니다. 이 시반(時半)166) 동안을 기다리는 동안에도 그냥 기다리지 아니하고 회원들이 가까운 곳에는 친(親)히 가서, 또 먼 곳에는 전화(電話)로 통지(通知)를 했습니다만, 다만, "이제 곧, 가지요." 하는 대답 한마디뿐이오, 모이지는 아니하였습니다.

형님, 우리나라 사람은 사회생활에는 아무런 취미(趣味)도 아무런 신용(信用)도 가지고 있지 아니합니다. 또는 아무런 필요(必要)도 감(感)치 아니합니다. 그러기에 각처(各處)에 한때 일어났던 청년회(靑年會)의 현금(現今) 상태(狀態)를 봅시다. 무슨 회니, 무슨 회니 하는 그 회의 내막을 살펴봅시다. 말도하기 싫습니다. 남자 남자끼리의 사회생활, 여자 여자끼리의 사회생활이 이러하니 남자와 여자 상호(相互)의 사회생활이야 말할 것도 없겠어요. 사실로 우리나라 사람의 생활은 아직도 사정이라는 감옥 속에 갇혀있습니다. 정신(精神) 방면(方面)도 그렇고 물질(物質) 방면도 그렇습니다. 간장도 집에서, 된장도 집에서, 명주낳이167)도 집에서, 빨래도 집에서, 그저 모두 **집에서**이외다. 방금 우리집 뒤뜰에도 장독이 십여(十餘) 개(個) 놓여있습니다. 이리하여 여성(女性)은 이 가정적 사업(事業)의 노예가 되어버립니다. 장 파는 집도 있고, 세탁소도 있고, 하면 얼마나

---

165) 유회(流會): 성원 미달이나 그 밖의 이유로 회의가 성립하지 아니함.
166) 시반(時半): 아주 짧은 시간.
167) 원 표기: 명두나이. 명주낳이(明紬낳이): 명주실을 뽑아서 명주를 짜는 일.

편리(便利)하고 남용이 적어지겠습니까? 그러나 그것이 다 정도(程度) 문제이외다.

김 형. 그러나, 그렇다고 또 우리나라 사람은 그 가정생활 안에서 만족(滿足)했느냐 하면 그런 것은 아니외다. 예를 들자면, 동리에서는 우리집을 매우 화평(和平)한 가정이라 합니다. 혹은 칭찬하고 혹은 부러워합니다. 만은 우리가 이 정도 가만히 살펴볼 때 온갖 불만(不滿), 온갖 불평(不平)이 쌓여있습니다. 그 이유(理由)는 조선인(朝鮮人)은 괴악(怪惡)한 성질(性質)의 소유자(所有者)이기 때문이외다. 여름날에 참외 10전(十錢) 어치를 사다 놓고도 온 가정이 다 모여서 즐겁게 나눠 먹을 줄은 모르고, 선168)참외를 사 왔다는 둥, 비싸게 사 왔다는 둥 하다가는 마침내 성나는 사람도 생기고 우는 사람도 생기며 매 맞는 아이도 생깁니다.

형님, 우리는 우리 사정을 즐겁게 하여야 하겠습니다. 그리고 우리는 사회생활을 체험(體驗)하기 위하여 있는 모든 힘을 들여야 하겠습니다.

---

168) 선-: '서툰' 또는 '충분치 않은'의 뜻을 더하는 접두사. 예) 선무당.

당신께도 동생과 조카가 계시겠지요.

= 이 놀랍고 기쁜 현상을 보십시오.=

당신께도 사랑하는 동생이나 조카가 계시겠지요. 당신이 마음 좋은 언니나 누이나 아주머니면 당신의 동생이나 조카에게 무슨 선물을 주십니까. 재미있고 유익하기 제일이면서 책값 단 10전인 「어린이」한 권도 사 보내주시지 못하고 그리고도 누이네, 언니네, 아주머님네, 하실 수 있습니까.

조선의 소년(少年) 운동을 위하는 뜨거운 정성으로 우리가 희생적 사업으로 발행하는 「어린이」는 그 정성이 헛되이 돌아가지 아니하여 갈수록 널리 퍼져서

어린이 제7호(第七號)는 10일간(十日間)에 다 팔리고
동(仝) 제8호(第八號)는 더 박했것만 5일간(五日間)에 다 팔리고
동(仝) 제9호(第九號)는 또 더 박했것만 7일간(七日間)에 또 다 팔렸습니다. 이것보시면 「어린이」의 내용(內容)이 어떠한 것인 줄 아실 것입니다. 어린이 제10호(第十號)는 그중에도 특별호로 여러 가지 재미있고 유익한 기사가 가득하고 그 책값은 단 10전이오니 반드시 사셔서 먼저 당신이 사 보시고 나중에 당신의 동생이나 조카에게 보내주십시오. 책을 안고 춤추며 기뻐할 것입니다.

[동요(童謠)] 문각씨169): 버들쇠(유지영)

도드락 뚝딱 문각씨야.
가마 탈 날 가까워서.
밤을 도와 다듬질에.
각씨 님이 바쁘셨네.

도드락 뚝딱 문각씨야.
손님170) 맞기 사흘 앞에.
새 모르는 저승사제.
각씨 님을 모셔갔네.

도드락 뚝딱 문각씨야.
안타까운 다듬가락.
문틈에서 일 때마다.
너를 아껴 눈물짓네.

도드락 뚝딱 문각씨야.
애를 끊는 방치171) 장단.
가을밤을 달이 울 때.
푸른 잎새 한숨짓네.

1923. 10. 12. 야(夜)

---

169) 문(門)각씨: 문에 붙은 귀신.
170) 원 표기: 속님
171) 방치: 방망이(전북)

성악가(聲樂家) 윤심덕(尹心悳) 씨(氏): 녹안경(錄眼鏡)

"이크 나온다."

"거-활발한데."

"키가 후리후리하고."

"그럴 듯 한데."

"여간 잘하지 않는다네."

"저 멋 좀 보아."

....

"거 잘하는걸."

"참 잘하는데."

"정말 조선(朝鮮) 제일(第一) 이겠는데."

"성대(聲帶)가 어떻게 그렇게 좋아-."

"성대도 크거니와 그 몸짓 보아."

"참말 처음인 걸, 그 몸맵시는 묘한데-."

"에라 그것 우리 재청(再請)하세."

음악회(音樂會) 때마다 이렇게 떠들리는 인기(人氣) 높은 성악가(聲樂家)!

그는 금년(今年) 봄에 동경음악학교 사범과(東京音樂學校 師範科)를 졸업(卒業)하고 돌아온 윤심덕(尹心悳) 씨(氏) 이다.

제목(題目)을 『윤심덕』 씨라고 써 놓았으니, 이것이 그 인

상기(印象記)가 될지 무엇이 될지 어리삥삥한172) 일이다. 좌우간(左右間) 내가 알고 내가 본 윤심덕 씨를 써 보련다.

× × × × ×

윤심덕! 이 이름은 한창때의 임배세(林培世) 양(孃)을 내리누르고 조선(朝鮮)의 악단(樂壇)을 독(獨)차지한 기세(氣勢)로 휘젓는 실(實)로 여왕(女王)의 위세(威勢)를 떨치는 이름이다.

그가 일일(一日) 일업(一業)을 마치고 돌아오자 그를 맞아들이는 환영(歡迎)은 비상(非常)하여 음악회마다 그를 원(願)하지 않는 곳이 없어 금일(今日) 경성(京城), 내일(來日) 평양(平壤)으로 분주(奔走)한 몸이 도처(到處)마다 인기(人氣)를 높이더니 복중(伏中)173) 서염(暑炎)174)에 지방(地方) 순회(巡廻) 연주(演奏)에까지 활약(活躍)한 것은 실(實)로 경하(慶賀)할 발전(發展)이었다.

이렇게 하늘을 찌를 기세(氣勢)로 일약(一躍)에 악단의 여왕으로 떠받힌 씨(氏)는 그 출생(出生)이 평양이요, 일찍이 경성여자고등학교 동(仝) 사범과(師範科)를 마치고 모처(某處)○○학교에 선생(先生)님으로 봉직(奉職)하였던 일175)까지 있다 하며

---

172) 어리삥삥하다: 정신이 얼떨떨하여 갈피를 잡지 못하다. '어리빙빙하다'보다 센 느낌을 준다. 말이나 행동이 똑똑하지 못하고 어리석어 보이는 데가 있다.
173) 복중(伏中): 초복(初伏)에서 말복(末伏)까지의 사이.
174) 서염(暑炎): 몹시 심한 더위.
175) 1914년 강원도 원주공립보통학교에서 1년여 동안 교원으로 근무했

혹설(或說)에 의(依)하면 지나간 날에는 결혼(結婚) 생활(生活)에 꿀 같은 세월(歲月)을 보내다가 부군(夫君)을 여의었으니 그는 양(孃)이 아니고 소사(召史)176)라고 우기는 이도 있다 하며 혹은 그의 다정(多情)다한(多恨)한 생활이야 일편(一篇)의 애정소설(愛情小說) 이상(以上)이라 하니 지금(只今)의 우리가 그것을 헤아릴 것이야 있으랴…. 그것이 우리에게 상관(相關)이 무어랴.

×   ×   ×   ×   ×

윤씨(尹氏)를 만나본 이는 누구나 알려니와 씨(氏)에게는 남달리 정신(精神) 좋은 듯한 기상(氣象)이 있나니 그것은 조금 불거진 전두골(前頭骨)로 보아 알 것이요, 두 눈은 좋게 보아 사람의 마음을 잡아끄는 눈이요, 나쁘게 보아 남을 깔보는 눈이라 아라비아 숫자(數字)에 여섯 육 자형(字形)(6)을 한 그 눈이 씨의 성격(性格) 전체(全體)를 잘 표현(表現)한 듯싶다. 입은 성악가인 만큼 발달(發達)이 잘 되었고 스타일은 그야말로 동양(東洋) 여자로서는 구(求)할 수 없는 맵시 좋은 스타일의 소유자(所有者)이다.

이 외에도 잘하는 것으로 소문(所聞)난 것은 일(一), 일본말 이(二), 빨래 삼(三), 바느질이요, 지나치게 활달한 언행(言行)은 남들로 하여금 왈패라 부르게 하나니, 대개 그는 누구를 만

다.
176) 소사(召史): 성 아래에 붙이어 과부(寡婦)를 점잖게 일컫는 말.

나 존경어(尊敬語)를 쓰는 일이 별(別)로 드물다 하는데 상대인(相對人)의 요령(要領)을 찾을 사이를 갖지 않고 이나 저나 한 눈으로 보아버리는 것 같이 보여서 대하는 사람에게 불쾌(不快)한 감(感)을 갖게 하는 것이 씨를 위(爲)하여 아끼는 일이라 한다.

이만하면 두루뭉술하나마 대강 인상은 쓴 것 같다.

×　　×　　×　　×　　×

다음에는 씨의 예술(藝術)을 보기로 하자. 내가 무슨 평(評)을 쓰랴, 무슨 논란(論難)을 하랴…만은 그냥 듣고 생각한 것 몇 가지를 쓰고 말자.

×　　×　　×　　×　　×

씨의 성악(聲樂)은 조선 사람으로는 아마 처음이라고 생각한다. 그 발성(發聲)이 우선 조선서는 처음 듣는 새로운 발성이라고 생각한다. 나는 어느 청년회(靑年會)에 가서 씨의 노래를 들은 일이 있는데 제일 나는 성악의 생명(生命)인 발성(發聲)부터 주의(注意)하였다. 그런데 씨는 소프라노인데 씨의 발성은 흉식(胸式) 발성(發聲)이라고 할밖에 없었다. 씨에게는 두성(頭聲)과 복성(腹聲)에 수양(修養)이 더 있었으면 하였다.

그러나 씨의 귀보(貴寶)[177]인 성대 본질(本質)에야 그 누가

---

177) 귀보(貴寶): 귀중한 보물.

감복(感服)하지 않으랴. 씨는 어디로 보든지 자장가[178] 같은 소곡(小曲)을 노래할 이는 아니요, 어디까지 보든지 「로시니」나 「모차르트」의 작곡(作曲) 같은 대곡(大曲)의 달자(達者)[179]가 될 듯하다.

그러면 노래의 진수(眞髓)인 익스프레션[180]은 어떠한가. 얼른 말하면 나는 씨의 것을 화려(華麗)타고 생각한다. 그 질(質)이 화려하다고 싶다. 그러나 섭섭하게도 양(量)에는 너무 빈약(貧弱)하지 아니한가 한다.

그다음에 표정(表情)은 잘할 재질(才質)이면서도 실패(失敗)가 많은 것 같다. 대단(大壇)히 아까운 일이라 생각한다. 그만 표정도 조선서는 처음일 것인데 왈패라는 소리를 듣게 하는 그 성격(性格)이 이 표정에도 누(累)를 미쳐서 실패를 시키는 것 같이 생각된다.

한 예(例)를 들면 이번 여름 종로기독교청년회관(鐘路基督教靑年會館)의 동아부인상회 3주년 기념 음악회(東亞婦人商會三週年記念音會) 있는 날[181]이라고 기억(記憶)되는데 그날 나는

---

178) 원 표기: 자수가(子守歌) [일본어] こもりうた. 자장가.
179) 달자(達者): 학문이나 기예에 통달하여 남달리 뛰어난 역량을 가진 사람.
180) [영어] expression. 표현, 표출.
181) 1923년 6월 26일 저녁 8시였다. (출처: 조선일보 1923. 6. 26. '동아상회의 기념'. 기사 전문: 시내 종로에 있는 동아부인상회에서는 그 상회가 창립된 지가 벌써 만 삼 주년에 도달하였으므로 이것을 기념하기 위하여 금일 오후 8시부터 중앙청년회관에서 음악무도대회를 개최할 터인데 금년에 동경음악학교를 졸업하고 돌아온 윤심덕 양이 처음

늦게야 입장(入場)하여 프로그램도 얻지 못하였으나 입장하자 그때는 사회자(司會者)가 윤 씨의 독창(獨唱)을 소개(紹介)할 적이었다.

"이번 윤심덕 씨가 하실 노래는 대단(大端)히 슬픈 노래입니다 여러분. 조용히 들으십시오."

말이 끝나자 윤 씨의 맵시 좋은 태(態)가 무대(撫臺) 위에 나타났다. 피아노 전주(前奏)는 흘렀다. 이윽고 씨의 물결 같은, 줄 같은 노래가 나왔다. 시초는 슬픈 듯도 싶었다. 생각건대 그 곡조(曲調)는 화려한 소절(小節)로 조성(助成)된 듯싶었다. 그런데 중간(中間)에 윤 씨는 노래를 계속(繼續)해 부르면서 한발을 내놓고 허리를 꼬는 듯한 태도(態度)로 청중(聽衆)을 보고 생끗182) 웃었다. 그 웃는 입술 새로는 여전(如前)히 멜로디가 흘러나왔다 "아-아까워라. 이 표정이 씨의 부르는 비가(悲歌)를 그치지 않았느냐."

보약(補藥)에다가 독약(毒藥)을 탄 것 같이 되지 않았는가. 이러한 실패가 비일비재(非一非再)한 것도 나는 씨의 성질(性質)이 표정쯤 그만 청중(聽衆)쯤 아무렇게나 되는대로 해 던져

으로 출연할 터이라 하며 기타 외국 사람으로 일류 악가의 독창과 무도 등이 있어 매우 재미있으리라 하며 입장권을 파는 방법은 대개 5원 이상의 상품을 사는 이에게는 2원권 한 장, 3원 이상의 상품을 사는 이에게는 1원권을 증정하되 특별히 입장권만 청구하는 이에게는 그 돈을 받아 자선단체에 기부할 터이라더라.)

182) 생끗: 눈과 입을 살며시 움직이며 소리 없이 가볍게 웃는 모양. '생긋'보다 조금 센 느낌을 준다.

도 좋거니 하는 태도(態度)가 식히는 것 아닌가 한다.

  나의 이 생각이 틀린 생각이었기 바라고 망령된 말이 길어졌음에 용서가 있기를 바라고 이만 그친다.

정오(正誤)

  본지(本誌) 전호(前號, 창간호(創刊號)) 제17호 동화(童話) 중 제3절(節) 첫 행(行) 끝 '잠든 하늘에'는 '적신 지붕에'의 오식(誤植)[183]이니 고쳐보시기 바랍니다.

취소(取消)

  부인(婦人) 잡지(雜誌) 제2권(卷) 제8호(號) 중(中) '강명화의 넋두리'란 기사(記事) 중 사실(事實) 착오(措誤) 되는 점(點)이 있기 그 일문(一文)을 취소(取消)합니다.

---

183) 오식(誤植): 잘못된 글자나 틀린 글자를 인쇄함. 또는 그런 것.

임성숙(林娍淑) 양(孃)의 「나의 회상(回想)」을 읽고: 채병석(蔡丙錫)

  팔월 보름날 저녁이었습니다. 중추 명절을 객지에서 외로이 보냄에 한없이 쓸쓸스럽고 고적한[184] 마음이 몹시도 고향을 그리워해서 시골집 고향이 눈에 자꾸 보였습니다. 늙으신 부모님 어린 누이동생들……. 생각을 마저 할수록 눈에는 점점 또렷하게 보여서 견디다, 견디다 못하여 나는 여관 문을 나섰습니다.

  그러나 아무 곳을 헤매어도 쓸쓸스런 내 마음에 아무 위로될 것은 없었습니다. 역시 쓸쓸한 걸음으로 여관을 향하고 돌아오던 나는 무심코 책사에 들어갔다가 얼른 눈에 띄는 「신여성(新女性)」 한 권을 나도 읽고 시골 누이에게 보낼 생각으로 사 가지고 돌아왔습니다.

  돌아와 보니까 내 방에는 편지 한 장이 와 있었습니다. 그것은 시골집 내 누이에게서 온 것이었습니다. 내 누이, 가엾은 내 누이의, 동생의 하소연 편지였습니다. 남에게 지지 않는 재질과 정성을 가지고 뼈에 맺힌 소원이 공부하기면서도 집안도 넉넉지 못하지만 그보다도 부모께서 허락지 않으셔서 보통학교를 간신히 졸업한 후로는 소원의 공부를 하지 못하고 집 안에 있어서 서울 있는 나에게 타는 속을 하소연하는 것이었습니다.

---

184) 고적(孤寂)하다: 외롭고 쓸쓸하다.

이런 편지는 종래에 한두 번이 아니어서 내게는 새로운 걱정도 아니었고 처음 듣는 근심도 아니라 금시에 별수가 날 것도 아니나, 마음은 더 우울하게 될 뿐이므로 나는 모든 쓸쓸스럽고 우울한 마음을 잊으려고 사가지고온 신여성을 펴 들고 읽었습니다.

한 가지 한 가지 읽을수록 재미를 붙이던 중 임성숙 씨의 「나의 회상」을 읽고 나는 참으로 감동된 바가 많았습니다.

가난한 중에도 모친의 양해 없이 어린 발로 송화(松禾) 옛집을 떠나 재령 해주에서 참담한 고생을 치르고 드디어 경성에 올라와 남다른 정성으로 공부를 쌓아 지금의 좋은 성적을 얻게 되기까지의 사실 기록은 구구절절이 내 가슴을 찌르는 경구였습니다. 참으로 씨의 오래인 고학생활(古學生活)은 씨도 말씀한 바와같이 뜻있으면 일이 이루어진다는 (유의면 사경성(有意면 事竟成)이라는) 글귀 그대로였습니다.

씨에게 그렇게 굳은 뜻이 있었거니 어찌 오늘날의 좋은 성적이 우연히 온 것이겠습니까. 유의면 사경성이라는 옛 글귀는 모르는 사람이 없을 만치 누구나 쉽게 말하는 글귀지만은 이제 씨는 몸소 실행하여 존귀한 사실 경력으로 우리에게 가르치는 힘이 위대하였습니다. 유의면 사경성! 임성숙 씨 같이 굳은 뜻이 내 누이에게도 있으면 어찌하여[185] 내 누이의 공부 못하는

---

185) 원 표기: 엇지타. 이난영의 곡 '목포의 눈물'에 '엇지타'라는 가사가 등장하는데 목포 유달산에 세워진 목포의 눈물 노래비에 의하면 1935년에는 '엇지타', 1969년에는 '어찌다', 2001년에는 '어짜타'로 그 변천이 표시되어 있다. 다만 근대 국어에서 표기되던 디귿이 현대 지읒

한이 있으리이까.

아아 임성숙 씨의 존귀한 기록은 나에게 "너희에게는 왜 이만한 뜻이 없느냐."고 엄하고 무거운 꾸지람을 주는 것 같았습니다.

다행히 내 누이는 임성숙 씨처럼 그다지 심한 환경에 있는 것도 아니었고 또 나 한 몸은 이미 경성에 와서 공부하고 있는 중이니 씨의 반(半)만큼 한뜻이 있어서 내 누이의 소원은 그다지 어렵지 않게 이루어질 것이라 일면으로 씨에게 대하여 부끄러운 마음도 없지 않고 또 일면으로는 감사하기도 마지아니하여 오래 두고 근심되는 일을 아주 해결한 듯이 기껍고 시원한 마음으로 누이에게 편지를 썼습니다.

씨의 말씀과 사적을 쓰고 우리 남매가 뜻과 힘을 합하여 공부를 계속해 가기로 마음을 결단하고 상경하도록 하라고 써서 신여성과 함께 보내주었습니다.

아아 유의면 사경성, 유의면 사경성!

이로써 나는 적어도 내 누이의 한 사람을 구원해 내게 된 것임을 기뻐하는 동시에 이 큰 가르침을 주신 임성숙 씨에게 지극한 감사를 드리는 바입니다.

으로 표기되는 변천상을 보았을 때 엇지타의 원형은 '엇디타'이고, 엇디타는 우리말샘에서 '어찌하여'로 풀이되고 있다. 따라서 이 글에서는 '엇지타'를 '어찌하여'로 번역하였다.(역자)

조각보

◇ 내가 보기에 좋지 못한 것은 그래 소위 신여자의 인사할 때의 몸짓이다. 거리에서나 혹 어떤 상점에서 아시는 어른이나 친구를 만나게 되면 어느덧 고개는 굽석186)한다. 그리고 혹 어른이면 공부나 잘하는가, 친구면 이즈음 재미가 어떤가 하고 묻는다. 그때에는 반드시 고개를 숙였다 들렸다 하며 다리를 내밀었다 들이밀었다 한다. 이것을 보면 남을 대할 때에 경의(敬意)는 조금도 없어 보이고 주제넘은 것 같기도 하고 흘랑거리는 것 같기도 하다. 여자가 되어서 그러한지는 모르거니와 좀 그러지 않았으면 한다. (수당(水堂))

◇ 근래 학교 출신의 소위 신여자 중에도 돈 많은 사람의 작은 집으로 출가하는 여자가 적지 않은 모양인데 나는 그것이 학식을 닦고 인격을 기른 새 여자로의 큰 수치점이라고 한다. 자기의 몸이 남편을 잃은 과부도 아니요, 화류계의 기생도 아니고 적어도 새 사회의 현처양모 될 새 여자로서 구태여 남의 작은집 노릇을 왜 하는가. 놀고도 잘 먹고 하이칼라 부릴 생각 좀 집어 던지고, 참된 새 여자가 되었으면. (풍곡(風谷))

◇ 지금의 조선 아씨님이나 아기씨님의 별명을 『굳어진 흰 떡』이라고 해볼까?
『굳어진 흰 떡』은 참나무 장작같이 뻣뻣하고 회독187)같이

---

186) 굽석: [북한어] 몸을 크게 한 번 푹 숙였다 드는 모양.
187) 회독(灰毒): 석회석의 독한 기운.

하얗고 모지라진 빗자루같이 동총[188]하고 뼈다귀 삶은 국물같이 짐짐하고[189] 달걀흰자같이 감칠맛 없고 마른 누른 밥 조각같이 오돌오돌하니까.

쪽 쪼개서 한가운데나 좀 파먹어보면 어떨는지? 그것도 의례 그럴 것이지만 눅눅한데 둔 것은 조금 낫지만 건조한 데 둔 것은 속이나 거죽이나 매한가지………

병폐는 벽장 속에 놓고 잠가둔 것을 엊그저께야 꺼내놓은 데 있으니까 이제 차차 좋은 도리가 생기겠지. 그렇지만 사람들 눈에는 될 수 있는 대로 자주 띄어야 될 걸. 밥에라도 내놓아야 본 맛이 나올 테니까………. (팔극(八克, 유지영))

◇ 이즈음 딱한 일이 있습니다. 여염집 부인도 내생가고[190] 기생이나 추업부[191]도 학생 같고 부랑한 탕자들은 여학생을 보고도 추업부로 알고 으레 힐난을 합디다그려. 그래서 세상 사람의 눈에는 트레머리 흰 저고리 검은 치마면 으레 잡스런 여자인 줄 아는 모양이니 풍기 상 또는 교육상 큰 문제인데 여학교 당국에서들은 어떻게 무슨 의논이 있는지 궁금합디다.

이렇게 문란해서야 누가 귀여운 딸을 학교에나마 안심하고 통학시키겠습니까. (석운(石雲))

◇ 가만있으면 면무식이라고 철저치 못한 지식을 토끼 꼬리

---

188) 동총(冬蔥): 겨울에 움 속에서 자란, 빛이 누런 파.
189) 짐짐하다: 음식이 아무 맛도 없이 찝찔하기만 하다.
190) 의미 불명(역자).
191) 추업부(醜業婦): 더러운 직업에 종사하는 여자. 주로 색주가, 창녀 따위를 이른다.

만치 아느라고 나도 신여자이거니 하는 들뜨인 사람이 많은 것이 한심합디다. 신여자라면 무엇이든지 신여자답게 가사를 잘 다스리고 일 처리에 민활해야 할 터인데, 어떤 신여자 한 분은 살림을 산다는 꼴이 집안 구석은 먼지투성이를 만들어놓고, 사나이는 애 보이고, 할멈은 밥 짓게 하고 자기는 언문 자나 안다고 이야기책 보고, 그래도 음악회에는 빠지지 않고 다니는 모양이니 그래서야 될 수 있겠습디까. 남편은 밤낮 양복만 입고 지내는 것을(여름에도 집에서까지) 보면 남편의 옷 한 벌도 아니 지어주는 모양입디다 그려. 지긋지긋하지 않습니까. 우습게 하는 말 같아도 지금 서울에는 이런 집이 많이 있을 것입니다. (추정(秋汀, 임봉순))

◇ 야단인걸! 참 어떻게 하든지 여학생 정복이나 각 여학교마다 자기 학생들의 표를 속히 만들어야 되겠어. 지난달 어느 날 어느 신문에 난 것 보니까 서울 기생 오비연(吳飛鳶)이를 여학생 탈을 씌워가지고 시골 청년 홍모(洪某)를 호려서 현금 5천 원(五千圓)을 뺏어내려다가 경찰의 법망에 걸려든 자가 다 있다던 걸. 자-그러니 누가 여학생 정복을 경홀192)히 보며 내일 내월로 미룰 수가 있다고 생각할 수가 있을까. (W)

◇ 어느 토요일 오후였다. 황금정193)에 볼일이 있어서 장교

---

192) 경홀(輕忽)하다: 말이나 행동이 가볍고 탐탁하지 않다.
193) 황금정(黃金町): 일제강점기 을지로의 명칭. 을지로는 조선시대에 구릿빛 나는 언덕이라는 의미로 '구리개', '굴개'로 불렸는데, 1914년 일본이 구리(銅)가 일본어로 황금에 해당한다는 이유로 황금동이라고 개칭했다. (출처: 시민일보 2016.4.21. '서울 중구, 23일부터 골목길투어 '을지유람'운영', 중구문화관광 홈페이지 '황금아파트')

(長橋)194)를 건너노라니까 개천가 길로 삼각정195) 쪽에서 내려
오는 여학생 두 분 흰 저고리 검은 치마보다도 더 그 손에 들
고 오는 꽃묶음이 그 사람을 곱게 보이게 하였고 그 심성(心
性)이 곱고 그 취미의 고결한 것을 보였다. 그랬더니 다리목까
지 오자 아무 아껴하는 빛도 없이 그 꽃묶음을 다리 밑 쓰레기
위에 던져버리고 그냥 휘적휘적 가버렸다. 개천 쓰레기 위에
버려진 꽃만 딱하지………. 무슨 심사인고……. 거죽만 잘 꾸미
는 여자들이 한창때에는 속도 없는 바이올린 빈 곽을 '음악
가' 네 하고 들고 다니는 이가 있더니 꽃묶음도 그 격으로 들
고 가던 것이나 아닌지. (운정(雲庭, 이숙종))

194) 장교(長橋): 장통교(長通橋). 서울시 중구 장교동 51번지와 종로구
    관철동 11번지 사이 청계천에 놓였던 다리이다. 1480년 이전에 설치
    되었고, 다리 서쪽 기둥에 '신미개조(辛未改造)'와 '기해개조(己亥改
    造)'라고 새겨져 있어 2번 보수가 있던 것으로 추정된다. 1929년 홍수
    로 인해 붕괴되었다가 복구되기도 했다. 현재의 다리는 2005년 청계천
    복원사업(재개발사업) 공사로 새로 지어 만들었다.(출처: 서울지명사
    전)
195) 삼각정(三角町): 현 중구 삼각동의 일제강점기 때 명칭. 1914년 4월
    1일 경성부 구역 확정에 따라 경기도고시 제7호에 의해 경성부 남부
    대광교동, 사자청동, 소광교동 일부와 홍문동, 곡교동을 합쳐 삼각정으
    로 하였다.(출처: 서울지명사전) 현재 구역은 을지로입구 3번 출구에서
    청계천 광교사거리, 청계천 한빛광장(장통교)까지이다.

청추(淸秋)의 일일(一日) - 각(各) 학교(學校) 여행기(旅行記)

처음 본 개성(開城): 경성여자고보(京城女子高普) 진묘순

기다리고 바라던 수학여행(修學旅行)! 9월 24일의 개성(開城)행(行)은 이날이었다. 엊저녁부터 들뜨인 마음에 잠도 자는 둥 마는 둥 하고 새벽 3시부터 일어나서 준비에 수선하였건만 그래도 점심을 싸 들고 집 문(門)을 나설 때는 5시 30분이나 지났었다.

어둡지도 아니하고 다 밝지도 않은 하늘은 구름 한 점도 없이 시원하게도 맑게 개였고 행인(行人) 적은 길, 열리지 아니한 상점(商店) 머리에는 전등(電燈)도 꺼지지 않아서 오래간만에 새벽길을 걸어보는 내 마음은 더 할 수 없이 기껍고[196] 상쾌(爽快)하였다.

지금(只今) 가면 정거장(停車場)[197] 앞에는 몇 사람이나 모였을까, "제일(第一) 첫째로 꼭두새벽에 와서 기다리겠노라." 고 수선스런 장담(壯談)을 하던 그 언니는 정(正)말 제일 첫째로 와서 있을까. 기쁨에 울렁거리는 가슴에도 이런 생각을 하면서 종로(鐘路)까지 걸어서 거기서 전차(電車)를 기다려 올라탔다.

---

196) 기껍다: 마음속으로 은근히 기쁘다.
197) 원 표기: 정거장(停車塲)

쓸쓸스런 새벽 전차에는 아무도 다른 승객(乘客)이 없이 동대문(東大門) 밖에서 오는 H와 K가 점심 보퉁이를 무릎에 놓고 호젓하게198) 앉아있어서 어떻게 반가웠는지 몰랐다.

경성역(京城驛)199) 앞에서 내리니까 벌써 역 앞에는 10여 명(十餘 名)이나 모여서 우리를 보고 이름을 부르면서 손짓을 치더니 와락와락 달려들어 손을 끌어 잡고 "굿모닝" 소리를 하는 것을 보아도 그 가슴이 다 같이 기쁨에 들뜨인 것을 알겠었다.

일행(一行)은 22인(二十二人), 발차(發車)는 이른 아침의 촌(村) 공기(空氣)를 흔들면서 북(北)으로 닫기를 시작(始作)하였다. 키 크신 김하정(金夏鼎) 선생(先生)님과 교장(敎長)선생의 내외(內外)분을 모시고 우리는 무더기무더기 모여 앉아서 밤에 잠 안 잔 이야기, 점심 반찬 이야기, 아직 가보지 못한 개성 이야기, 가본 사람의 개성 자랑, 재미있는 이야기는 뒤에 뒤를 이어 끝날 줄을 모르고 조그만 굴속을 지날 때에도 왁자지껄하고200) 환희(歡喜)의 소리를 칠 때마다 차실(車室) 안의 모든 승객(乘客)들의 눈은 부러운 듯이 우리에게로만 쏠리어 퍽 재미있어하는 모양이었다.

기차(汽車)는 어느 틈에 장단역(長湍驛)201)을 지났다 하여 우

---

198) 호젓하다: 후미져서 무서움을 느낄 만큼 고요하다. 매우 홀가분하여 쓸쓸하고 외롭다.
199) 경성역(京城驛): 서울역
200) 원 표기: 왁자자하고

리는 벌써 퍽 먼 지방(地方)에 나온 것 같아서 차창(車窓) 밖을 내어다보기 시작하였다. 누르디누른 벼 벌판은 아침 햇빛을 받아 거룩하고 근감하여202) 보여서 농부(農夫)들의 기뻐하는 얼굴까지 보이는 것 같고 등성이203) 등성이마다에는 큰 나무 짧은 풀잎마다 아침이슬이 영롱하게 반짝이는 것까지 보여서 마음을 상쾌(爽快)하게 하였다.

창의 좌편(左便)에는 북한(北漢)과 흡사(恰似)한 뾰족한 봉우리가 연립(連立)하였고 수목(樹木)이 무성(茂盛)한 검푸른 산(山)이 멀―리 보이기 시작하는데 저―산의 서북(西北) 넘어가 곧 개성이라 한다. 저 산 너머 저 산 너머 하고 개성 가까이 온 것을 기뻐하는 동안에 벌써 차창밖에 인삼(人蔘)을 재배(栽培)하는 삼포(蔘圃)204)가 드문드문 보이기 시작(始作)하매 벌써 개성에나 도착(倒着)한 듯싶어서 모두 다들 자리를 들먹들먹하였다.

말로만 듣던 인삼의 삼포를 처음 보는 우리는 삼포 위에 갈대발로 삼집까지 지어 덮어준 용의주도(用意周到)한 성의(誠意)

---

201) 장단역(長湍驛): 경의선 옛 철도역. 주소는 파주시 장단면 동장리 198번지. 1906년 경의선이 처음 부설되었을 때 영업했다는 기록과 '경의철도가'에 등장하는 기록이 있다. 현재는 '파주 경의선 구 장단역터'에 철근 콘크리트 구조의 역이 남아있고 국가등록문화유산으로 지정되어 있다. 1950년 한국전쟁 때 장단역에서 폭탄을 맞고 탈선한 증기기관차가 현재 임진각 부근에서 전시되어 있다.(출처: 철도의 역사, 두산백과)
202) 근감하다: 마음에 흐뭇하고 남 보기에 굉장하다.
203) 등성이: 산의 등줄기. 사람이나 동물의 등마루가 되는 부분.
204) 삼포(蔘圃): 인삼을 재배하는 밭.

에 놀랐다. 실(實)로 세계적(世界的)으로 성가(聲價)205)를 득(得)한 고려인삼(高麗人蔘)은 이와 같이 세밀(細密)한 보호(保護) 하(下)에 재배(栽培)되어 6개년 후(六個年 後)에야 비로소 완성(完成)되어 건제(乾製)하여는 백삼(白蔘)이 되고 증제(蒸製)하여는 홍삼(紅蔘)이 되고 또 정제(精製)하여는 엑기스도 되는데 그 연액(年額)206)이 203만 원(二百三萬圓)이나 되며 그 거액(巨額)이 개성을 중심(中心)으로 하고 수익(收益)되는 것이라 한다. 이러한 말을 듣고 다시금 우리는 그 용의주도하게 보호 재배되는 삼포를 주의(注意)해 보았고 깊이 감복(感服)하였다.

이야기 하는 중에 차창 우편(右便)으로 양옥(洋屋) 섞인 한 도시(都市)가 보이기 시작하니 이것이 고려조 470년(高麗朝 四百七十年)의 수도(首都)이던 개성이었다. 유명(有名)한 송도(松都)207)였다. 입마다, 입마다 개성, 개성 하면서 자리에서 일어나서 서성거렸다. 그러는 중(中)에 차(車)는 정차(停車)되고 승객(乘客) 중의 많은 사람이 부득부득208) 내려가는데 "가이죠-가이죠-." 하고 잡아 흔드는 것 같았다.

개성은 우선 정거장 앞에서부터 깨끗하였다. 이야기로 많이 듣던 개성이 여기고, 책(冊)에 많이 났던 개성이 여기다 생각

---

205) 성가(聲價): 사람이나 물건 따위에 대하여 세상에 드러난 좋은 평판이나 소문.
206) 연액(年額): 한 해 동안의 수입·지출·생산 따위의 총금액.
207) 송도(松都): '개성'의 옛 이름. 고려의 수도였다.
208) 원 표기: 부덩부덩

(生覺)할 때 정거장 어귀209)부터 더 깨끗하게 생각되고 선죽교(善竹橋)210)와 만월대(滿月臺)211) 있는 곳이 여기요, 송악산(松岳山)과 호스톤여학교212) 있는 곳이 여기구나 하고 생각할 때 더 반갑고 정(情)든 곳에 온 것 같았다.

정거장 건너편에 복사나무 많은 수원(樹園)은 유명(有名)한 철도공원(鐵道公園)이라 하며 공원 앞으로 길게 뻗은 신작로(新作路)는 시가(市街)로 향(向)하는 길이라는데, 때도 아침때라 그 길을 밟아 시가를 향하고 걷는 마음은 마치 새벽 꿈자리에서 갓 깨어 나온 때의 심신(心神)같이 상쾌(爽快)하였다. 조금 가다가 높다란 벽(壁)돌집(인삼) 전매국(專賣局) 출장소(出張所)를 보았고 그 집을 지났으니까 거기서부터 반가운 조선(朝鮮) 가옥(家屋)과 조선 사람들이 많은 중에 유심(唯甚)213)하게 갓 쓴 사람을 많이 보았고 부인(婦人)네 중에는 치마 쓴 사람을 드문드문 보았다. 한참 가다가 좌편(左便)으로 꺾이어 푸른 산허리를 바라보고 올라가니 그 산이 개성의 북악산(北岳山)이라는 송악산이라 하며 대로(大路) 좌편 나직한 언덕에는 높다랗고 커―다란 석조(石造)양옥집이 있는데 이것이 유명한 호스톤여학교라 하여 우리는 그 학교에 들어가서 교실(敎室)과

---

209) 원 표기: 어구(於口)
210) 선죽교(善竹橋): 조선민주주의인민공화국 개성시에 있는 돌다리. 고려 말기의 충신 정몽주가 이방원이 보낸 조영규 등에게 철퇴를 맞고 죽은 곳으로 유명하다.
211) 만월대(滿月臺): 개성시 송악산(松嶽山) 남쪽 기슭에 있는 고려의 왕궁터. 궁전은 고려 말기에 불타서 없어졌다.
212) 원 표기: 호수돈여학교(好壽敦女學校)
213) 유심(唯甚): 현 표준어는 유심(愈甚)하다로 '더욱 심하다'는 뜻이다.

기타(其他) 다른 설비(設備)와 기숙사(寄宿舍)까지 구경(求景)하였는데 이름만 듣던 시골 학교에 찾아와서 그곳 학생(學生)들까지 대(對)해본 것은 어떻다할 길 없이 기뻤다.

호스톤에서 나와서는 곧 인삼 제조공장 조합소(人蔘製造工場組合所)에 들어가서 좌편으로 돌아가서 한(限)없이 넓은 삼포와 과수원(果樹園) 등(等) 사이를 지나 문득 잔잔하게 흐르는 깨끗한 소천(小川)을 건너갔다. 거기는 길 좌우(左右)에 산앵(山櫻)214)이 쭉 늘어서서 홍엽(紅葉)된 신세(身勢)215)를 바람에 떨고 있는데 여기가 만월대 입구(入口)라고 표목(標木)216)이 꽂혀있었다.

산복(山腹)217)을 향(向)하여 세 층(層)이나 펼쳐있는 광대(廣臺). 잡초(雜草)는 우거졌어도 이곳이 오백 년 여조(麗朝)의 왕궁(王宮)이었던 터이라 쓸쓸스런 석축(石築)을 올라갈 때에는 외람되고 한심(寒心)스럽고 가을 풀들은 산바람에 흔들리어 느껴 우는 것 같이 바르르 떨리는데 그 사이에 대소(大小)의 초석(礎石)이 드문드문 노출(露出)되어 있는 것이 더욱 마음을 쓸쓸스럽게 하였다. 초석의 놓인 자리로 보아 그 위에 굉대(宏大)했었을218) 누문(樓門)219)과 전각(殿閣)을 생각해 보면서 우리

---

214) 산앵(山櫻): 장미과의 가는잎벚나무, 개벚나무, 잔털벚나무, 털벚나무 따위를 통틀어 이르는 말.
215) 신세(身勢): 주로 불행한 일과 관련된 일신상의 처지와 형편.
216) 표목(標木): 무엇을 표시하기 위하여 세우거나 박은 말뚝. 푯말.
217) 산복(山腹): 산에 가파르게 기울어져 있는 곳.
218) 굉대(宏大)하다: 어마어마하게 크다.
219) 누문(樓門): 다락으로 오르내리는 문.

는 다시 수십(數十) 급(級)의 석계(石階)220)를 밟아 올라간 즉 거기에 바로 왕전(王殿)의 유지(遺址)221)가 있는 것을 보았다. 일찍이 팔도(八道) 통치(統治)의 실마리를 잡은 곳이 이곳이었고 여기에 단벽(丹碧)222) 찬란한 전각이 하늘을 찌를 기세(氣勢)로 섰었을 것을 생각하고 지금에 소슬한223) 바람과 쓸쓸한 벌레 소리를 들으니 어떻게 형용(形容)할 수 없는 서늘한 생각이 가슴을 음음하였다. 송악의 산 임진(臨津)의 수(水)는 여전(如前)히 푸르고 여구(如舊)히224) 흐르건만 오직 인세(人世)의 일이 무상(無常)하여 전년(前年)의 왕궁(王宮)이 이제 이 터만 남아 찾는 이의 눈물만 자아내는 일을 생각하면 구슬픈 생각이 한(限)없이 나는 것을 금(禁)할 수 없었다.

기꺼운 마음에 수선스럽게 떠들던 일행(一行)은 누구나 여기 와서 말이 없이 잠잠들 하였다. 일행의 소감(所感)이 다 같았을 것이다.

그러는 중에도 시계(時計)를 자주 보시는 선생(先生)님들의 어서 내려가자는 소리에 우리는 약속(約束)한 것처럼 긴 한숨들을 쉬면서 그곳을 떠났다.

---

220) 석계(石階): 집채의 앞뒤에 오르내릴 수 있게 놓은 돌층계.
221) 유지(遺址): 전에 건물 따위가 있었거나 사건이 일어나 역사적 자취가 남아 있는 자리.
222) 단벽(丹碧): 옛날식 집의 벽, 기둥, 천장 따위에 여러 가지 빛깔로 그림이나 무늬를 그림. 또는 그 그림이나 무늬.
223) 소슬하다: 소슬하다(蕭瑟하다): 으스스하고 쓸쓸하다.
224) 여구(如舊)하다: 모양이나 상태가 옛날과 같다.

때가 오정(午正)225)이 가까워서 경치(景致)도 좋거니와 점심(點心)226) 먹기 좋은 곳이라고 개성 사람인 H의 안내(案內)로 부산동(扶山洞)으로 갔다. 부산동은 참말 말과 같이 경치 좋은 곳이었다. 늠름한 수림(樹林), 맑게 흐르는 물, 사람의 손으로 꾸며놓은 것 같이 어여쁘게 된 곳이었다. 여기서 우리는 짐을 풀어 점심을 먹고 자유(自由) 흩어져서 재미나게 놀았다. 한참이나 즐겁게 놀다가 모이라시는 소리에 모여서 부산동을 떠나면서 "자—이번에는 선죽교다, 선죽교다." 하고 쏘곤쏘곤하였다. 그러나 부산동 길은 너무도 멀어서 놀면서 나오는 것이 "시간(時間)이 너무 걸려서 오후(午後)227) 네 시(時) 차(車)로 귀경(歸京)할 예정(豫定)인데 시간 여유(餘裕)가 없으니 정거장으로 바로 가자."는 선생님 말씀에 우리는 얼마나 놀랐는지 모른다. 시간도 시간이려니와 개성에 와서 그 유명한 정(鄭)충신(忠臣)의 읍비(泣碑)와 선죽교 피 다리를 보지 못하고 갈 수가 있으랴 싶어서 밤차(車)로 가도 좋으니 선죽교를 보고 가자고 애걸(哀乞)애걸 하였으나 요담에 또 오자고 우기면서 그냥 정거장으로만 향(向)하고 말았다. 분하고 섭섭한 김에 몇 씩 몇 씩 뒤로 빠져서 보고 가자는 공론까지 분분히 해보았으나 하는 수 없었다. 선생님의 고집을 미워하면서 울음이 터질 듯 터질 듯한 얼굴이 기차(汽車)에 올라탈 때까지 풀리지 아니하였다. 이 까닭으로 그리 기다리고 바라던 개성 구경은 반(半)밖에 못하고 온 것이다. (하략(下略))

---

225) 원 표기는 오정(五正). 오정(午正): 낮 열두 시. 곧 태양이 표준 자오선을 지나는 순간을 이른다.
226) 원 표기: 점심(点心)
227) 원 표기: 오후(午后)

관악산(冠岳山) 삼막사(三幕寺)의 가을: 동덕여학교(同德女學校) 고1(高一) 정애(貞愛)

　참 세월(歲月)도 빠르기는 합니다. 사람마다 괴로워하는 길고 긴 여름날도 어느덧 다 가고 가을이 벌써 되었습니다. 나는 수일(數日) 전(前) 우리 학교(學校) 선생(先生)님 세 분을 모시고 60여 명(六十餘 名)의 우리 고등과학(高等科學) 우(友)들과 함께 가을의 자연(自然)을 감상(鑑賞)228)하고 고적(古蹟)229)도 찾기 위(爲)하여 삼막사로 원족(遠足)230)을 갔었습니다. 일동(一同)은 경성역(京城驛)을 출발(出發)하여 살같이 닫는 기차(汽車)로 한강(漢江)을 건넜습니다. 차창(車窓)으로 내어다보니 맑고도 잠잠한 푸른 강(江)물은 추천(秋天)과 일색(一色)이라는 옛글을 연상(聯想)케 하였습니다. 여기저기 떠 있는 어선(漁船)들도 가을의 한적(閑寂)을 말하는 듯하더이다.

　어느덧 기차(汽車)는 산(山)을 돌고 들을 건너 안양역(安養驛)231)에 도착(倒着)하였습니다. 우리들은 기차에서 내려 시선(視線)에 들어오는 온갖 물색(物色)을 싫다않고 받아들이며 산(山)골 사이 조그만 길로 관악산(冠岳山)을 찾아갔습니다.

　농가(農家)의 사람들이 봄, 여름을 쉬지 않고 논에는 벼 심

---

228) 원 표기: 완상(翫賞) [일본어] がんしょう
229) 고적(古蹟/古跡): 옛 문화를 보여 주는 건물이나 터.
230) 원족(遠足): 소풍. 휴식을 취하기 위해서 야외에 나갔다 오는 일.
231) 안양역(安養驛): 경기도 안양시 만안구에 있는 경부선의 역. 1905년 보통역으로 영업을 개시했다.(출처: 철도역 정보)

고, 밭에는 콩을 심어 물대이고 김맨 것이 가을이 돌아오니 가지가 휘도록 잘도 잘도 되었습니다. 여름 동안 땀 흘리던 농가의 동포(同胞)들은 아니 먹어도 배부르다는 것같이 새 날리는 소리만 한가롭게 들리더이다. 산골 사이로 흐르는 맑고도 깨끗한 시냇물이 버드나무 숲속으로 쫄쫄 흘러 내려와 적은 바위에서는 힘없이 굽이쳐서 다시 흘러 내려갑니다. 관악산의 초목(草木)들은 가을 기운을 머금어서 각색(各色) 풀과 단풍(丹楓) 잎의 푸른 것과 붉은 것이 물들인 것 같이 귀엽고도 곱더이다.

산을 넘고 또 산 너머 일동(一同)은 염불암(念佛庵)232)이라는 조그마한 암자에 도착(到着)하였습니다. 암자는 별(別)로 사치(奢侈)롭다 할 것은 없으나 그윽이 한정(閑靜)하더이다233). 가느라고 수고롭던 우리들의 푸들푸들한 다리를 잠간(暫間) 쉬어 가지고 다시 삼막사로 향(向)하였습니다. 높고 높은 산봉(山奉) 위에 삼막(三幕)이라 하는 절은 참으로 청결(淸潔)키도 하거니와 한가(閑暇)롭기도 하더이다. 청풍(淸風)이 불 때마다 쨍그랑 쨍그랑 우는 풍경(風磬) 소리는 찾아간 우리들을 반겨 노래하는 듯하더이다. 사(寺) 중(中)에 머물러 송하(松下)에 점심 먹고 이곳저곳 다니면서 추색(秋色)을 구경하였습니다. 아-넓기도 하더이다. 저기 저 멀리 보이는 바닷물은 몇 백리(百里)나 될까요. 바닷물은 하늘에 닿은 듯하더이다.

---

232) 염불암(念佛庵): 경기도 안양 삼성산에 위치한 사찰이다. 태조 왕건이 삼성산을 지나다 세운 안흥사가 시초라고 전해지며 조선 영조 때 간행된 『가람고』에 염불암의 존재를 확인할 수 있는 기록이 나온다.
233) 한정(閑靜)하다: 오래도록 한가하고 평안하다.

종일(終日)토록 즐기다가 석양(夕陽)에 돌아오니 그 아기자기 하고 재미스럽고 기쁜 말을 어찌 다 하겠습니까.

아- 우리 동무들이여! 우리가 1년(一年)에 두 번(番)씩 가는 이 원족이 아니면 가정이나 학교에서는 맛볼 수 없는 이런 유쾌(愉快)한 느낌을 어찌 맛볼 수가 있겠습니까. 참 원족이란 좋은 것이외다. 나는 원족이 우리 학생들의 심신(心身)을 건강(健康)케 하고 견문(見聞)도 넓히는 의미(意味)로 보아 없지 못할 것임을 깊이깊이 깨달았습니다.

틈만 있으면 가봅시다. 산으로 바다로.(끝)

북악산(北岳山)의 하루: 경성여자고보(京城女子高普) 3
(三) 연옥(蓮玉)

○ 9월 28일(금요(金曜)) 청(晴), 일시(一時) 운(雲)

기다리던 북한(北漢) 등산(登山)의 날이라 평시(平時)보다 일찍 일어나 먼저 하늘을 보니까 천기(天氣)가 깨끗하지 못하여 엊저녁 이래(以來)의 기쁨에 날뛰던 마음은 한풀이 꺾였다. 그러나 아무에게 물어도 비가 오지는 않으리라 하여 적이 마음이 놓였다.

8시 반(八時 半) 광화문(光化門) 앞 집합(集合)의 약속(約束)이었으나 가는 길이라 학교(學校)에 들르니까 때는 8시 20분인데 교문(敎門) 앞에 5, 6인이나 모여 서서 방금(方今) 출발(出

發)하려던 때였다. 나중 오는 학생을 데리고 오겠다고 체조(體操) 선생(先生)님 한 분이 남아계시고 우리는 벌써 가뜬히234) 광화문으로 향하였다.235)

　무겁던 책보(冊褓) 대신에 점심 한 그릇과 발씨236) 가벼운 운동화(運動靴) 신은 것도 가뜬하였거니와 언제든지 원족(遠足)이나 여행(旅行)가는 출발(出發)은 심신(心神)이 쾌(快)하고 발이 가벼운 것이었다. 바람이나 불면 날 것 같은 마음으로 이런 말 저런 말 받고 나면 광화문 앞에 이르니까 거기에는 벌써 많은 사람이 모여 있고 부교장(副校長)과 수신(修身) 선생님도 일찍 오셔서 학생들을 웃기고 계셨다. 여기서 잠간(暫間) 기다리니까 학교에 남아계시던 체조 선생님이 나중 온 학생을 다섯 사람이나 동행(同行)해 오셔서 전수(全數) 20명(二十名)이 광화문 담을 끼고 북한산을 향(向)하여 길을 떠나니, 그때 시계(時

---

234) 가뜬하다: 마음이 가볍고 상쾌하다. '가든하다'보다 센 느낌을 준다.
235) 현재 학교명은 경기여자고등학교이다. 지금 경기여고는 강남구 개포동에 위치한다. 경기여고 홈페이지에 소개된 학교연혁에 의하면 1922년 4월 1일에 재동 신축교사로 이전하고 명칭을 '경성공립여자고등보통학교'로 개칭했다. 재동 신축교사의 위치는 현재 기준 안국동 헌법재판소(안국역 2번 출구) 이다. 이곳은 과거 홍영식의 집터였고, 1885년 제중원이 들어섰던 자리이기도 하다. 원래 있던 곳은 경운동인데 현재 지도로 보면 안국역 5번 6번 출구 사이 인근이다. 이곳에 부속보통학교가 오고 재동으로 고등학교가 옮겨갔다. 1923년, 1927년 경성 지도에는 이전하기 전의 위치로 표기가 되어있는데 당시 정보의 반영이 늦었기 때문인 것으로 짐작된다. 1933년 경성 지도에는 옮긴 상태로 표기되어 있다. (출처: 경기여자고등학교 홈페이지, 한국민족문화대백과사전 '종로구', '제중원', 디지털강남문화대전 '경기여자고등학교', 동아일보 1922. 6. 7. '여자고보교의 신축이전', 경성시가도(1927, 1933), 경성시가지도(1924년, 하네다 시계루))
236) 원 표기: 발ㅅ새. 발씨: 길을 가는 발걸음이 그 길에 익은 정도.

計)는 9시(時)나 되었다.

　남달리 무겁게 들고 온 오(吳)의 바스켓이 이야기의 중심(中心)이 되어 놀리고 웃고 떠들고 하면서 창의문(彰義門)237)까지는 가는 줄도 모르게 당도하였다.

　문(門)턱에 올라서면서 벌써 문내(門內)와 다른 시원한 경치(景致)가 눈앞에 펼쳐지니 하늘은 높고 산(山)기슭은 날카로워지고 과원(果園)238)의 나뭇잎은 벌써 누른 빛을 띠기 시작하여 가을은 벌써부터 와서 이 문밖에서 기다리고 있던 것 같았다.
　거기서 우편(右便)으로 발길을 돌려 검붉은 고성(古城)을 끼고 산길을 밟아 승가사(僧伽寺)239)를 향(向)하니 나무숲 잡초(雜草) 사이 높고 낮은 길은 추정(秋情)240)이 깊어 일보(一步) 저(低), 일보(一步) 고(高) 걸음마다 가을은 찬물같이 몸에 스며드는 것 같았다.

　가을 나무의 누른 그늘을 몇 번, 쌀쌀하게도 말라가는 산등을 몇 번, 재미나는 걸음으로 지나고 넘어서 찾아든 곳이 북한산록(北漢山麓)의 조그만 절 승가사였다. 북한 내맥(北漢 內脉)

---

237) 창의문(彰義門): 서울특별시 종로구 청운동에 있는 문. 2015년 12월 2일 보물로 지정되었다. 북문(北門) 또는 자하문(紫霞門)으로도 불린다. 근처에 윤동주 문학관이 있다.
238) 과원(果園): 과실나무를 심은 밭. 흔히 먹을 수 있는 열매를 얻기 위하여 배나무, 감나무, 밤나무, 대추나무 따위를 가꾼다. 과수원(果樹園).
239) 승가사(僧伽寺): 서울특별시 종로구 북한산(北漢山)에 있는 남북국시대 통일신라의 승려 수태가 창건한 사찰.
240) 추정(秋情): 가을철에 느끼는 생각이나 분위기.

의 커다란 등성이를 뒤에 지고 고요히 앉은 이 절은 결코 적다할 수 없는 절이나 웅성거리지 않고 아늑한 것으로든지, 절의 좌우(左右)에 채마밭이 있는 것으로든지, 얼른 보기에 산간(山間)에 커다란 민가(民家)가 놓인 것 같았다. 절에는 젊은 승(僧) 한 사람이 있어 끔찍이 공손(恭遜)하게 접대(接待)해 주는데 20이 될까 말까 하는 소승(少僧)이 어찌나 일어(日語)에 능통(能通)한지 산간에 있는 승으로 일어에 능(能)한 이를 처음 보는 이 만큼 신기(新奇)하게 보였다. 선생님들과 그의 담화(談話)를 들으면 그는 작년(昨年)까지 어느 학교에 다니다가 별(別)한 사정(事情)이 있어서 입도(入道)하여 승이 되었으나 아무 수양(修養)도 되는 것 없고 위안(慰安)도 되는 것이 없을 뿐아니라 새벽마다 그 어두컴컴하고 우중충한 불전(佛殿)에 들어가 경(經)을 읽기가 싫고 무서워서 견딜 수 없는데 지금 다시 속환(俗還)241)할 수는 없고, 불문(佛門)에 들어가 수도(修道)한다는 지금 승들이 누구나 저런 번민을 하는 것이 아닐까…….하고 내게는 생각되었다.

이야기가 끝나면서 그 젊은 승의 안내로 우리는 사내(寺內)의 각 전각 안을 구경한 후에 이 절에 유명한 굴(窟)속의 약수(藥水)샘을 보게 되었다. 절 뒤에 있는 바위에 큰 구멍이 뚫려있고, 그 굴속 깊이가 적잖이 깊다 하는데 그 속에까지 들어가면 세상(世上)에 희귀(稀貴)한 약수샘이 있어서 그 물을 먹으면 자녀(子女) 없는 부인(婦人)이 자녀를 낳게 되고, 백(百)가지

---

241) 속환(俗還): 승려가 되었다가 다시 속인(俗人)으로 돌아온 사람. 중속환이.

속병(病)에 효과(效果)가 있다하여 원처(遠處)에서 오는 부인도 많다 하는 물이었다. 안내하는 소승은 양촉(洋燭)[242]과 성냥을 들고 앞에 서서 들어가기 시작하였다. 무섭고 겁나면서도 호기심(好奇心)은 대단(大壇)하여 앞사람의 허리와 손목을 꼭꼭 잡고 한 걸음 두 걸음 더듬어 들어가니까 벌써 앞선 사람은 촉(燭)불을 켜 든 모양이었었다. 차츰차츰 앞으로 다가서니까 과연(果然) 굴의 구석진 곳에는 샘물이 고여서 촐랑촐랑하고 있는데 거기서 또 소승의 말이 이 물은 많이 먹을수록 좋은 물이요, 두 그릇이나 네 그릇씩을 맞춰 먹으면 나쁜 일이 있다 하는 고로 모두들 너나 하고 세 바가지씩 기를 내어 먹고, 난중 다섯 바가지를 먹은 사람까지 있어서 소승을 놀래었는데 그보다 재미있기는 모두 굴에서 나와서 3년(三年)의 임(任)이 자기(自己)는 두 바가지를 먹었다기에 "에그 짝 맞춰 먹으면 못쓴다는데." 하였더니 그만 혼이 나서 "에구머니." 소리를 지르고 억지로 동무를 잡아끌고 촛불을 켜 들고 다시 들어가 한 바가지 채여 먹고 나온 일이었다. 우스운 말이라도 나쁘다는 일은 아무나 마음에 케이는 모양이었다.

굴속에 다녀 나와서 우리는 자리를 잡고 앉아 점심을 시작하였다. 바로 그때 오포(午砲)[243] 소리가 멀리서 들려와서 퍽 반갑게 생각되었다. 멀디먼 외지(外地)에서 아는 사람이나 만난 것 같이 이날의 오포 소리는 반갑게 들렸다.

---

242) 양촉(洋燭): 서양식의 초. 동물의 지방이나 석유의 찌꺼기를 정제하여 심지를 속에 넣고 만든다. 양초.
243) 오포(午砲): 낮 열두 시를 알리는 대포.

점심이 끝난 후에 우리는 나서서 그 절 뒷산 위까지 올라가기로 하였다. 그러나 어떻게도 그리 험(險)한지 뼈다귀만 남은 것 같이 빤빤하고 새빨간 산길을 미끄러질 듯 내리구르듯 기어 오르노라니 위에서 아래에서 '에구머니' '아그머니' 소리가 끊일 새 없었다. 그중에도 제일(第一) 고생(苦生)한 것은 커다란 바스켓을 가진 오(吳)였다. 나중에는 내어버릴까보다는 말까지 나다가 기어코 학교 소사(小使)244)의 신세를 지고 말았다.

오르기가 괴로웠던245) 만큼 봉우리 위에 올라설 때는 참말로 형언(形言)할 수 없이 기쁘고 상쾌(爽快)하였다. 뒤로는 산 너머 또 산이 안 뵈는 데까지 연(連)했고 골짜기 골짜기 누르락 푸르락 익어가는 가을은 여기서 한눈에 보이는 것 같았다. 그러나 그보다도 더 우리를 기쁘게 한 것은 거기서 장안성(長安城)246) 중(中)이 내려다보이는 것이었다.

조개 깔아 놓은 것보다도 더 잘게 보이는 시가(市街)에 까물까물 기어 다니는 하얀 사람들, 그중에서 우리도 여기까지 기어 올라온 것이 마음에 신통하기도 하였다. 부교장이 저-기가 인천(仁川)이다 하는 소리에 어디 어디 하고 가리키는 곳을 바라보니까 분명(分明)치는 못하나 흰-하게 바다가 보이기는 하였고 다시 손끝을 돌리면서 저-기 저곳이 개성(開城)이라는 소

---

244) 소사(小使): 관청이나 회사, 학교, 가게 따위에서 잔심부름을 시키기 위하여 고용한 사람.
245) 원 표기: 고(苦)로웠던.
246) 장안성(長安城): 수도의 성. 위치상 경복궁을 의미하는 것으로 보인다. (역자)

리에 바라보니까 파-랗고 아믈아믈하는 저-끝에 강물 같은 것이 보이는데 그것이 임진강(臨津江)이라 하여 그 너머서 개성이 다 뵐까……. 하는 것이 희미하게 보았건만 마음을 기껍게 하였다.

높은 산, 넓은 하늘, 시원한 맛에 거기서 한참이나 놀다가 다시 승가사로 내려와 자유(自由)로 흩어져서 한 시간(時間)이나 소요(逍遙)247)하고나서 차츰 피곤(疲困)을 느끼기 시작(始作)하면서 가던 길을 휘돌아 천천히 내려와 자하(紫霞)골248) 제2고등학교(第二高等學校) 앞249)까지 오니까 적이 심(甚)한 피곤을 느꼈다. 선생님들도 피곤하신 모양이라 여기서 헤어지자고 돌아가 밥 잘 먹고, 잠 잘 자라는 부교장의 말씀이 있은 후 해산(解散)하였다. 오후(午後) 4시(四時).

---

247) 소요(逍遙): 자유롭게 이리저리 슬슬 거닐며 돌아다님.
248) 자하(紫霞)골: 창의문(彰義門)의 다른 이름이 자하문(紫霞門)이었고, 이 동네 이름을 자하동(紫霞洞), 혹은 자하(紫霞)골이라고 했다고 한다.
249) 현재의 경복고등학교를 의미한다.

[시(詩)] 기도, 꿈, 탄식: 망양초(望洋草, 김명순)

일(一)

거울 앞에 밤마다 밤마다
좌우편에 촛불 밝혀서
한없는 무료를 잇고 지고
달빛같이 파란 분 바르고서는
어머니의 귀한 품을 꿈꾸려
귀한 처녀 귀한 처녀 서른 신세 되어
밤마다-거울 앞에.

이(二)

애련당 못가에 꿈마다 꿈마다-
어머니의 품 안에 안기어서
갚지 못한 사랑에 눈물 흘리고
손톱마다 봉선화 드리고서는
어리던 님의 앞을 꿈꾸려
착한 처녀 착한 처녀 호올로 되어
꿈마다 꿈마다 애련당 못가에

삼(三)

둥그런 연잎에 얼굴을 묻고
꿈 이루지 못하는 밤은 깊어서
비인 뜰에 혼자서 서른 탄식
연잎에 달빛같이 허덕여 들어

지나가는 바람인가 한숨지으라
외로운 처녀 외로운 처녀 파-랗게 되어
연잎에- 얼굴을 묻어……….

(1923. 8. 평양서)

환상(幻想): 망양초(김명순)

인공(人工)의 드높은 성(城)으로 둘러싸인 못물에
은행색(銀杏色)의 태족(苔族)250)은 자라서 늘어서
은은히 힘 길러서는……………………
동록의 시대(時代)에 도전(挑戰)하다

사람들은 다 못가에 아득거려
피를 잃고 넘어질 때
풍랑(風浪)은 모든 영혼을 사라져가고
부패(腐敗)는 모든 육체(肉體)를 점령(占領)하다

하늘 위에는 오히려 미친 바람
땅 위에는 아직 부패 그치지 않았을 때
한 돌로 빚은 사람이 나타나서
자줏빛의 환상(幻想)으로 온 세상을 싸 덮다

여기 새로운 세상에 봄이 오다
여인(女人)은 낳지 않고 남인(男人)은 기르지 않고
원근(遠近) 선악(善惡) 미추(美醜)를 폐지한 때가
우리들의 마음속으로부터 오다

여기 새로운 봄의 기꺼운 때가 오다
동굴(洞窟)의 암류(暗流)251)가 태양(太陽)을 향(向)해 노래하고

---

250) 태족(苔族): 이끼 태(苔), 겨레 족(族)

시냇물이 종달252)의 노래를 어우를 때가
우리들의 마음속으로부터 오다

(1921. 8월. 동경(東京)서)

---

251) 암류(暗流): 물 바닥의 흐름. 겉으로 드러나지 아니하는 불온한 움
직임.
252) 종달: 종다리의 방언. 종다리, 종달새 둘이 같은 의미이며 복수표준
어이다.

인자(人子)와 묘자(猫子)253): 안톤 체호프 작(作), 김석송(金石松, 김형원)254) 역(譯)

아침. '레이스'와 같이 곱게 유리창에 서린 서릿발 사이로, 반짝이는 햇빛의 한 뭉치가, '아이들의 방'으로 뛰어든다. 단추 같은 코를 가진 여섯 살 된 사나이 '와아냐'와, 고수머리에 밤볼진255), 나이 간으로는 잔약한256) 네 살 된 누이 '니이냐'가 잠을 깨어서, 침상에 앉은 채로 무슨 골이나 난 듯이 서로 흘겨보고 앉았다.

"왜들 그류!" 하며 유모가 들어오면서 말을 한다. "이게 웬일이유! 아가씨들! 벌써 어른들은 모두 진지를 잡수셨는데, 아가씨들만 이때까지 깨지 않아서………."

햇빛은 방바닥과 벽과 유모의 소매에서까지 즐겁게 뛰놀면서, 같이 놉시다고 아이들에게 간청하는 듯하였다. 그러나, 아이들은 그것을 본체만체하였다. 그 애들은 잠이 깨자마자 공연

---

253) 묘자(猫子): 고양이 묘(猫), 사람 자(子). 원 제목은 사건(событие)이며 현재 러시아 도서관에서 원본을 공개중이다. (주소: https://ilibrary.ru/text/1369/index.html)

254) 김형원(金炯元): 이칭은 석송(石松). 일제강점기 언론인이자 저술인. 매일신보, 동아일보, 조선일보 등지에서 일했다. 잡지 「개벽」과 「별건곤」 등에 시를 많이 발표했으며 1922년 개벽에 휘트먼(W. Whitman)을 소개했다. 대표작은 '아 지금은 새벽 네시', '이향', '불순의 피' 등이 있다.

255) 밤볼지다: 볼이 볼록하게 살이 찌다.

256) 잔약(孱弱)하다: 가냘프고 약하다.

히 골이 났다. '니이나'는 입술을 삐죽삐죽하고 얼굴을 찡그리며 중얼대었다.

"물! 엄마! 물!"

'와아냐'는 눈살을 찌푸리고, 무슨 트집거리가 없나 하고 방안을 들러보았다. 그러다가 눈을 깜작깜작하며 입을 벌려서 무슨 말을 하려 할 때, 식당에서 어머니의 목소리가 들렸다.

"고양이에게 잊지 말고 우유를 줘, 새끼 낳았으니까."

'와아냐'와 '니이나'는 고개를 번쩍 들고, 놀란 듯한 눈으로 서로 바라보았다. 그리고 두 아이는 "어!" 소리를 치며 침상에서 뛰어나와, 귀가 아프도록 지껄여대며, 자리옷 입은 채로, 맨발 벗은 채로, 부엌으로, 뛰어갔다.

"고양이가 새끼 낳았다! 고양이가 새끼 낳았다!" 하며 두 아이는 부르짖었다.

부엌 마루 밑에 조그마한 궤짝 하나가 놓여있었다. -그것은 '스테판'이 난롯불로 불을 필 때, 쏘시개를 두었던 궤짝이다.- 이 궤짝 속에서 고양이가 내다보고 있다. 고양이의 잿빛 얼굴에는 피곤한 빛이 가득하고, 조그마한 고 까만 동자가 박힌 그 파란 눈은 게슴츠레하나 매우 감정적(感情的)이었다.-그의 얼굴빛을 보면, 그가 참으로 행복스러우려면, 다시 꼭 한 가지 부족한 것이 있는 것이 분명하였다. 그것은 제가 낳은 새끼와 아비, 제가 마음을 부리는 남편이, 이 자리에 없는 것이다. 어미 고양이는 "아옹" 하고 울려 하였다. 그러나 다만 "식

식" 하는 소리만 내이고 말았다.—새끼 고양이들은 울기 시작했
다.

아이들은 궤짝 앞에 있는 마루에 쪼그리고 앉아서 이가 물어
도 꼼짝도 아니하고 숨소리도 없이, 정신없이 고양이만 바라보
고 있었다. 두 아이는 하도 기이하여 정신을 잃은 것 같이 되
었다. 쫓아온 유모가 무엇이라고 중얼대며 야단치는 소리도 들
은 체 만 체 하였다. 두 아이의 눈에는 참된 행복257)이 반짝였
다.

아이들을 기르는데, 가축(家畜) 같은 것은 아무 소용도 없는
듯하나, 실상 중대한 영향을 주는 것이다. 크고도 유순한 개,
행실 사나운 검정 개, 어리258) 속에서 죽는 작은 새, 미욱하나
거만스런 칠면조, 우리들이 작란259)으로 꼬리를 밟아서, 싫증이
나도록 아프게 하여도 골내지 않는 친절한 늙은 암괭이, 우리
들 중에 누구든지 이러한 것들을 생각지 아니할 수가 있을까?
가축들의 인내(忍耐), 충의(忠義), 관대(寬大), 성실(誠實)한 성
질은 건조 무미한 '카를, 카를로비치' 260)의 지리한 강의(講
義)나, 물은 수소(水素)와 산소(酸素)로 된 것이라는 것을 아이

---

257) 원 표기: 향복.
258) 어리: 병아리나 닭 따위를 가두어 기르기 위하여 채를 엮어 만든 물
    건. 원통형, 상자형 따위의 여러 형태가 있다.
259) 작란: 난리를 일으킴. 장난.
260) 독일어로 하면 칼 에른스트 클라우스(Karl Ernst Claus , Karl Kla
    us 또는 Carl Claus), 러시아어로는 클라우스 카를 카를로비치(Клау
    с, Карл Карлович). 독일 출신의 러시아 화학자이자 박물학자였다.
    '루테늄' 발견자이다. 생몰일은 1796-1864.

들에게 설명하는 가정 여교사의 알아들을 수 없는 말보다 얼마나 힘 있게 아이들의 머릿속에 박힐는지 모른다고 말할지라도 별로 실수 되는 말은 다 아닐 것이다.

"참, 예쁘다!" 하는 '니이나'의 입술에는, 쾌활한 웃음이 넘쳐흘렀다. "꼭, 생쥐 같다!"

"하나, 둘, 셋." 이라고 '와아냐'는 세었다. "세 마리다. 저건 내 애다. 한 마리는 네 것이고, 또 한 마리는 누구 줄고."

"야옹………야옹." 하고 암쾡이261)는 좋은 듯이 소리를 했다.

얼마동안을 이렇게 바라보기만 하다가 아이들은 암쾡이 밑에서 새끼를 꺼내가지고 쓰다듬어주기를 시작하였으나, 그래도 직성이 덜 풀리어서 이번에는 자리 옷자락에 싸가지고 이방 저방으로 뛰어다니었다.

"어머니, 고양이, 새끼 났어." 하며, 둘이서 떠들었다.

어머니는 식당에서 낯모르는 손님과 이야기하는 중이었다. 아이들이 세수도 않고, 옷도 안 입고, 자리옷 소매를 높이 걷은 꼴을 보고, 어머니는 화가 나서 무섭게 흘겨보았다.

"자리옷이나 벗으렴. 꼴로는 볼 수 없네." 하였다. "얼른 저리가요, 이른 말 안 들으면, 혼구멍을 줄 테야."

---

261) 암쾡이: 암코양이의 방언.

그러나 아이들은 어머니의 호령도, 낯선 손님이 있는데도, 아무 조심을 아니하였다. 고양이 새끼들을 방바닥에 놓고 귀청이 떨어지도록 소리를 쳤다. 아이들 곁에는 늙은 고양이가 따라다니며 하소연하는 듯이 "야옹………야옹." 울었다. 얼마 아니 되어 아이들은 옷도 바꾸어 입고, 아침 기도 올리고, 아침밥도 먹기 위하여 '아이들의 방'으로 끌리어갔으나, 이따위 아무 재미없는 의무(義務)에서는 어떻게든지 속히 몸을 빼내서 부엌으로 돌아가고 싶은 생각에 발광할 지경이었다.

보통일이나 장난 같은 것은 아주 잊어버렸다. 이 세상 구경을 하자마자 고양이 새끼들은 모든 일을 제패하고, 다만 기이한 생물(生物)로 아이들의 정신을 빼앗게 되었다.

가령, 독자 중에 누구든지 '와아냐'에게나 '니이나'에게 새끼 한 마리 주면, 과자 한 봉지 주마 하든지, 돈 천 냥 주마 하였을지라도 그들은 조금도 주저치 않고 그 청구를 거절하였을 것이다.

유모와 숙수262)의 꾸중263)을 먹어가며, 점심때까지 두 아이는 부엌에 앉아서 고양이 새끼들과 놀았다. 둘의 얼굴에는 정말 걱정하는 빛이 나타나 보였다. 둘이서는 고양이 새끼를 위하여 지금뿐 아니라 장래의 걱정까지 하지 않아서는 안 되게 되었다. 그래서 한 마리는 어미를 위로하기 위하여 암캥이와 한집에 두고, 둘째는 시골집으로 보내고, 셋째는 광속에 살게

---

262) 숙수(熟手): 잔치와 같은 큰일이 있을 때에 음식을 만드는 사람. 또는 음식을 만드는 일을 직업으로 하는 사람.
263) 원 표기: 지천. 지천하다: 꾸짖다'의 방언(전라).

하여 쥐를 잡아먹게 하기로 하였다.

　"그런데 왜 눈이 안 뵈나?" 하고 '니이나'가 물었다. "거지처럼, 장님인가."

　이 질문은 '와아냐'를 괴롭게 했다. '와아냐'는 고양이 새끼를 잡아가지고, 눈을 벌려보려고 코를 불며, 땀을 뻘뻘 흘리며, 한참 동안 애를 썼으나, 결국 성공하지 못했다. 그리고 또 한 가지 일이, 아이들의 애를 태이게 했다.-그것은 마음먹고 준 고기와 우유를 새끼들은 하나도 아니 먹은 까닭이다. 그 조그마한 코끝에 아무것을 놓아주어도, 모두 어미에게 빼앗기고 만 것이다.

　"우리, 새끼집 지어줘야지." 하며 '와아냐'가 말을 꺼냈다. "한 마리씩 딴 집에 살게 하자. 그럼 어미가 이집 저집 찾아다니겠지."

　부엌 세 구석에다가 들이서 헌 모자 상자를 하나씩 갖다 놓았다. 그러나 고양이 새끼는 아직 따로 낼264) 때가 못 된 듯하였다. 아까부터 슬픈 빛을 띠고 있던 어미는 새끼집을 하나씩 하나씩 찾아다니며 제 새끼를 모두 제 집으로 데려가 버렸다.

　"이게 어머니지. 응." 하며 '와아냐'는 말했다. "그럼, 아버지는, 누가 될꼬?"

　"참, 누가 아버질 구?" 하며 '니이나'도 말했다.

　'와아냐'와 '니이나'는 고양이 아버지가 누굴까 하는 문제를 가지고 오랫동안 의논을 했다. 마침내 들이서 의론한 결과는, 꼬리 빠진 검붉은 말로 고양이 아버지를 삼기로 했다.

---

264) 원 표기: 제금날 때가. 제금내다: '따로내다'의 방언.(전남, 경상)

이 말은 이층 층계 아래 벽장 속에 여러 가지 다른 장난감들과 함께 먼지 속에 내어버려 둔 것이다. 둘이서 벽장 속에 있는 말을 끄집어내다가 고양이 집 곁에 세웠다.

"차렷265)!" 하고 말에게 향하여 주의를 식혔다. "거기서 새끼들을 잘 봐줘라."

이러한 행동이 모두 진정으로 마음먹고 한 것이다. 궤짝과 고양이 새끼밖에는 '와아냐' 와 '니이나' 에게는 아무것도 생각할 여지가 없었다. 두 아이의 기쁨은 한이 없었다. 그러나 참을 수 없이 괴로운 시간을 지긋지긋 참지 않아서는 안 될 운명을 가졌었다.

점심밥을 먹기 조금 전에 '와아냐' 는 아버지의 서재에 앉아서, 유심히 책상을 바라보고 있었다. '램프' 곁에, 도장 찍은 책 뭉치 위에, 고양이 새끼 한 마리가 기어 다녔다. '와아냐' 는 그 행동을 열심히 주의하여 보다가, 이따금 연필을 가지고 코끝을 찌르기도 했다. 이때, 뜻밖에, 마치 마루 밑에서 솟아오른 것같이 아버지가 나타났다.

"이게 무어니?" 하며 성난 소리로 호령했다.

"저………저. 고양이 새끼에요, 아버지."

"이 방에 고양이 새끼를 데려오라고, 내가 이르더냐. 별종맞은 자식! 이, 한 짓 봐라. 책 뭉치를 모두 풀어놓고!"

'와아냐' 는 놀랐다. 아버지가 고양이 새끼를 귀애할 줄로 생각한 것은 그만두고. '와아냐' 의 귀를 잡아당기며, 호령했

---

265) 원 표기: 긔착. 기착(寄着): [북한어] 구령어로서의 '차렷'을 이르던 말.

다.

"스테판아, 이 보기 싫은 것, 저리 치워라!"

점심을 먹을 때에도 이와 같이 불쾌한 일이 또 있었다. 막밥을 먹기 시작할 때, 밥 먹던 사람들은 무슨 조그만 소리를 들었다. 여러 사람은 이게 무슨 소린가 하고 둘러보다가, '니이나'의 앞치마 밑에서 고양이 새끼 하나를 발견했다.

"니이나! 밖으로 나가거라!" 하며 아버지는 화가 나서 호령했다. "고양이 새끼를 개천에 내다 버려라! 나는 이런 불쾌한 것을 집에 두고는 마음까지 깨끔하여266) 못 견딘다!"

'와아냐'와 '니이나'는 겁이 나서 몸이 한 줌만 하여졌다. 개천에 내버려 죽이는 것은, 얼마나 참혹한 것은 그만두고, 늙은 암쾡이와 장난감 말에게서 자식을 빼앗는 셈이오, 궤짝이 텅 비게 된다. 두 아이의 장래 계획은 전부 파괴되는 것이다. 한 마리는 늙은 어미를 위로케 하고, 둘째는 시골로 보내고, 셋째는 광속에 살게 하여 쥐를 잡아먹게 하자 한, 아름다운 장래의 계획을……. 두 아이는 엉엉 울면서, 고양이 새끼를 살려달라고 빌었다. 아버지는 고양이 새끼를 용서한다고 허락했으나, 그 대신에 아이들이 부엌에 가거나 고양이 새끼와 놀아서는 아주 안 된다는 조건이었다.

점심을 다 먹은 후 '와아냐'와 '니이나'는 이방 저방으로 돌아다니며, 죽이 축 쳐졌다. 부엌에 못 가게 한 것은 두 아

266) 깨끔하다: 깨끗하고 아담하다.

이의 흥을 아주 거두고 말았다.

두 아이는 먹을 것도 싫다 하였다. 골이 나서, 어머니한테 가서 공연히 떼만 썼다. 저녁때에 '페트루샤' 아저씨가 왔을 때, 아저씨를 한 구석으로 끌고 가서 아버지가 고양이 새끼를 개천에 내다 버린다고 야단친 일을 하소연했다.

"페트루샤 아저씨!" 하고 두 아이는 청을 했다. "고양이 새끼, 우리 방에 가져오게 어머니께 여쭤주셔요, 네?"

"오냐, 오냐! 걱정 마라!" 하며 아저씨는 아이들을 떼어놓으며 말했다. "알았어!"

'페트루샤' 아저씨는 언제든지 혼자 오는 일은 없었다. 귀가 축 늘어지고, 꼬리가 지팡이처럼 뻣뻣한 '네로'라 하는 커다란 검정 개가 언제든지 따라온다.

'네로'는 말도 잘하지 않고 점잔만 빼어서 저 혼자 잘난 체하였다. 아이들에게는 조금도 주의하는 일이 없이 곁으로 지낼 때도 아이들을 마치 교의[267]나 무엇으로 아는지 꼬리로 툴툴 치고 다닌다.

'와아냐'와 '니이나'는 이 개라 하면, 정말 깊이 미워하고 싫어한다. 그러나 이때에는 저의들 사정으로 감정을 참지 않지 못하였다.

"니이냐야! 우리 이렇게 할까?" 하며 '와아냐'는 눈을 크게 떴다. "저 말 대신에 네로로 아버지를 하자! 말은 죽었지. 그래도 네로는 살았으니까." 저녁때 내, 두 아이는 아버지

---

267) 교의(交椅): 사람이 걸터앉는 데 쓰는 기구. 보통 뒤에 등받이가 있고 종류가 다양하다.

가 골패268)를 시작하기만 고대하였다. 그러면 그때 들키지 않도록 '네로'를 부엌으로 끌고 갈 수가 있으니까⋯⋯. 마침내, 아버지는 골패를 하고 어머니도 무슨 일을 분주히 하노라고 아이들을 감독할 사이가 없었다⋯⋯. 고대하던 즐거운 시간은 돌아왔다!

"자~." 하고 '와아냐' 누이에게 귓속말을 했다. 그러나, 마침 그때에, '스테판'이 방으로 들어오며 이빨을 드러내며 말했다.

"아씨, 이것 보세요! '네로'가 고양이 새끼를 다 먹었어요."

'니이나'와 '와아냐'는 새파래 가지고, 크게 뜬 눈으로 '스테판'을 똑바로 쳐다보았다.

"네, 아씨!" 하며, 하인은 다시 말을 했다. "그저 대번에 궤짝으로 가더니 덥석덥석 집어먹었어요."

아이들의 생각에는 집안사람들이 모두 놀라서, 죄지은 '네로'에게로 쫓아갈 줄로 알았다. 그러나 어머니와 아버지는 태연히 교외에 앉은 채로, 다만 그 개의 식성이 큰 것을 놀랠 뿐이었다. 아버지와 어머니는 웃었다⋯⋯⋯. '네로'는 책상 앞으로 가서, 꼬리를 홰홰 치며 만족한 듯이 혀 질을 했다⋯⋯⋯. 그러나 다만 어미 고양이만 속 타는 듯이 뵈었다. 꼬리를 사리고 의심스러운 눈으로 여러 사람을 쳐다보며 슬픈 소리로 "야옹야옹!" 울면서 방안으로 돌아다녔다.

---

268) 골패(骨牌): 납작하고 네모진 작은 나뭇조각 32개에 각각 흰 뼈를 붙이고, 여러 가지 수효의 구멍을 판 노름 기구. 또는 그것으로 하는 노름.

"자-얘들아, 그만 자자. 벌써 10시다!" 어머니는 말했다.

그리하여 '와아냐'와 '니이나'는 침상에 눕게 되었다. 자리에 누운 두 아이는 잔학하고 야비하고 벌 받지 않는 '네로'로 인하여 그 생활을 터무니도 없이 깨지고만, 가련한 어미 고양이를 위하여 울었다. (끝)

세계적(世界的) 대왕(大王)의 테니스 잘 치게 되는 법 _열 가지 조목(條目): 빌 틸덴

지금 세계(世界)에서 테니스왕이라고 일컫는 틸덴씨[269]가 테니스 잘 치게 되는 법(法) 열 조목(條目)을 미국(米國) 어느 잡지(雜誌)에 발표(發表)하였습니다. 정구(庭球)[270]에 뜻을 두시는 분에게는 적지 않은 참고(參考)가 되겠으므로 이에 역재(譯載)[271]합니다.

일(一), 공이 죽기 전에는 공을 내어놓고 한눈을 파서는 안됨.

이(二), 공을 때릴 때는 반드시 네트를 향(向)하여 모로 서서 때릴 것이다. 네트를 정면으로 향하고서 자기(自己) 몸 주위(周圍)에 라켓으로 곡선(曲線)을 그려가지고 때리지 말 일.

삼(三), 코치나 혹(或)은 서책(書冊)으로 옳은 방식(方式)을 배워가지고 그것을 굳게 지키며 연습(練習)할 일.

사(四), 공을 항상 정확하게 쳐 넘기는 연습을 쌓을 것이다. 너무 굳세게 치든지 괴상하게 공을 죽게 쳐 넘기어서 적(敵)을 이기고자 하지 말 일.

오(五), 잘하는 사람들의 경쟁은 될 수 있는 대로 구경하는

---

269) 빌 틸덴(Bill Tilden): 미국 테니스 선수. 1920년 미국 남자 테니스 선수 사상 최초로 윔블던에서 우승하였으며, 1920년부터 1925년까지 US 오픈 6회 연속 우승하였다.
270) 정구(庭球): 테니스.
271) 역재(譯載): 번역하여 신문, 잡지 따위의 출판물에 실음.

것이 필요(必要)하다. 그래서 이름난 선수(選手)들의 치는 법(法)이라든지 술법(術法)을 배우지 않으면 안 된다. 그것이 연습에 큰 도움이 됨.

육(六), 연습은 진실(眞實)하게 하라. 연습 중에 농(弄)지거리 하는 것은 대(大) 금물(禁物)이다. 온 정신(精神)을 연습에만 쏟아놓아야 된다. 이것이 진보(進步)에 대(對)한 비결(秘訣)임.

칠(七), 경기(競技)에는 기회(機會)만 있거든 때를 잃지 말고 출전(出戰)을 하라. 승부(勝負)는 문제(問題)가 아니다. 그리하는 동안에 얻을 수 없는 경험(經驗)을 쌓게 되는 것임.

팔(八), 잘 안 된다고 그 법(法)을 버리고 잘되는 방법(方法)만 취(取)하지 말 일이다. 한 가지 방법(方法)을 가지고는 오늘날 경쟁(競爭)에는 성공(成功)을 꿈꿀 수 없는 터임.

구(九), 얼른 늘지 않는다고 실망(失望)하지 말라. 작년(昨年)에 비교(比較)하면 금년(今年)에는 조금 늘었겠지 하는 것을 생각(生覺)해 보아서 그것이 확실(確實)한 것 같으면 그것만으로 충분(充分)한 것임.

십(十), 치는 법(法) 연습(練習)은 다음에 기록(記錄)한 순서(順序)에 따라서 연습하라.

드라이브, 서브, 발리272), 스매싱, 점프, 픽업.

---

272) 원 표기: 볼레. 발리(Volley)의 글자를 일본식으로 읽은 표현인 듯하다. 현재 발리는 일본에서 보레(ボレー)라고 한다. 기타 다른 용어도 원 표기는 각각 들라이브, 써브쓰, 스맛시유, 쫌푸, 피크압푸이다.(역자)

요 때의 조선(朝鮮) 신여자(新女子): 소춘(小春, 김기전)

□ 음악(音樂)만 하면 제일(第一)인가

음악(音樂)만 하면 제일(第一)이람, 왜인 음악 공부(工夫)하는 사람이 그리 많을까. 실제(實際)는 공부한다 함보다도 좋아하는 사람이라 함이 마땅하겠지. 아니, 좋아한다 함보다도 따라다니는 패라 함이 마땅하겠지. 물론(勿論) 음악에 대(對)하여 남다른 취미(趣味)를 갖고, 남다른 천재(天才)를 가진 여자(女子)이면, 음악 공부를 전문(專門)하는 것도 좋겠지. 그러나 풍성학려(風聲鶴唳)273)로 미친 사람같이 음악의 뒤꽁무니만 따라다닌 대서는 말이 아니지.

□ 사랑-애형(愛兄), 애제(愛弟)!

이것은 주(主)로 여학생(女學生) 사이에, 여학생 중(中)에도 기숙사(寄宿舍)에 들어있는 학생(學生) 사이에 있는 일이거니와, 그들 사이에는 남자(男子) 편(便)으로 치면 짝패라 할 만한 사랑이란 것이 있다. 가령(假令) 갑(甲)이란 여자(女子)와 을

---

273) 풍성학려(風聲鶴唳): 겁을 먹은 사람이 하찮은 일에도 놀람을 이르는 말. 중국 전진 때 진왕 부견(苻堅)이 비수(淝水)에서 크게 패하고 바람 소리와 학의 울음소리를 듣고도 적군이 쫓아오는 것이 아닌가 하고 놀랐다는 데서 유래한다.

(乙)이란 여자 사이에 사랑이 생겼다 하면, 그들은 거의 죽을지 살지를 모르고, 서로 그리워하며 서로 따르는 것이다. 여학교(女學校) 중에도 서울의 이화학당(梨花學堂)이 우심[274]하며, 경성여자고등보통학교(京城女子高等普通學校), 평양여자고등보통학교(平壤女子高等普通學校)의 기숙사에도 그런 학생들이 있다는데, 배화학당 같은 데에서는 그것을 취체(取締)[275]하기에, 학교 당국자(當局者)가 꽤 많이 고심(苦心)한다는 말이다.

이것이 유행어(流行語)로 하면, 이른바 동성애(同性愛)라는 것이다. 동성애가 좋은 것이냐 언짢은 것이냐 하는 데에 대(對)해서는 여러 가지의 말이 있고, 따라서 이에 대한 여학교 당국자의 태도(態度)도 제각각이지마는, 우리의 생각으로써 보건대 동성애란, 그것이 더럽게 성욕(性慾)의 만족(滿足)을 얻으려 하는 수단(手段)이 되지 아니하는 이상(以上)에는, 이익(利益)이 있을지언정 해(害)는 없을 관계(關係)라고 한다. 여자들 사이에는 이 동성애가 있으므로 해서, 정서(情緒)의 애틋한 발달(發達)을 재촉함이 되고, 따라서 남녀(男女) 간(間)의 풋사랑에 대한 유혹(誘惑)을 면함이 될 것이다.

자못 주의할 것은, 사랑이란, 남녀 간이고 여여(女女) 간(間)이고 높고 깨끗한 것이 되어야 한다는 것이다. 거기에 한 점(點)만큼이라도 야비하고 설만한 것[276]이 섞이면, 그것은 결국에 자독(自瀆)[277]이오, 자멸이다.

---

274) 우심(尤甚)하다: 더욱 심하다.
275) 취체(取締): 법률 규칙, 법령, 명령 따위를 지키도록 통제함.
276) 설만(褻慢)하다: 하는 짓이 무례하고 거만하다.

□ 책(冊)보는 여자, 산보(散步)하는 여자

옛말에 이러한 말이 있다. 하루를 글을 읽지 않으면 입 가운데 가시가 난다고[278]. 그러나 나는 이렇게 말하고 싶다. 하루를 글을 읽지 아니하면, 입 가운데 가시가 나거니와, 하루의 곱절, 이틀만 글을 읽지 아니하면, 머릿속에 **구더기**가 난다고.

말은 끔찍한 말이나, 사실(事實)인즉 그러한 것이다. 물은 흘러가야만 썩지 않는 것과 같이, 사람의 머리는 자극을 받아야 썩지 않는 것이다. 자꾸자꾸 새로운 자극을 주는 데에는 글을 읽는 수밖에, 달리 말하면 책을 보는 수밖에는 더 없는 것이다.

고등보통학교(高等普通學校)와 동등(同等) 또는 그 이상(以上)의 정도(程度)를 졸업(卒業)한 여자 여러 동무여, 당신들이 가진 공통한 아름은 무엇이냐, 신여자(新女子)이다. 구여자(舊女子)가 아니오, 신여자이다. 신여자이면, 입는 옷도, 신는 구두도, 하는 말세도, 무엇도, 무엇도 새로워야 되겠지만, 먼저 당신네들의 머리가 새로워야 할 것이다. 새로우되 나날이 새로워 가야 할 것이다. 그러면 당신네의 머리는 과연(果然) 새로웠느냐. 새로우되 어저께가 옛적이다 하리만큼 나날이 새로워 감이 있느냐. 서울, 시골할 것 없이, 각(各) 보통학교에 교편(教鞭)을 쥐고 있는 여성들아, 또는 보통학교 이상의 학교에 교수

---

277) 자독(自瀆): '수음(자위)'을 달리 이르는 말. 자기 스스로를 더럽힘.
278) 일일부독서구중생형극(一日不讀書口中生荊棘): 하루라도 책을 읽지 않으면 입안에 가시가 돋쳐 남을 비방하는 말을 하게 됨을 의미한다. 안중근 의사께서 옥중 남긴 명언이다.

(教授) 또는 조교수(助教授)의 자격(資格)으로 있는 모든 여성들아, 또는 회사(會社)에 가정(家庭)에 사회(社會)에 다-각기(各其) 한자리 식(式)을 차지하고 있는 모든 여성들아, 당신들은 다-같이 신여자이다. 먼저 당신네 몸뚱이로부터 비롯하여, 조선(朝鮮) 안에 있는 천만(千萬)에 가까운 그 여성들을, 어둑하고 컴컴한 저 한편(便)으로부터 자유(自由)롭고 광명(光明)스러운 이 한편에 번쩍 들어 옮겨놓을 임무(任務)를 가진 신여성들이다. 이러한 당신들이기 때문에 다시 한번 묻는다. 당신들의 머리는 완전(完全)히 새로워졌느냐, 새로워지기 위(爲)하여 나날이 새 글을 읽느냐고.

나는 당신들 중에서 일을 잘하는 사람을 보았다. 산보(散步) 잘하는 사람을 보았다. 또는 남편(男便) 잘 공대하고, 아이 잘 뒤만지는 사람을 보았다. 또 혹(或)은 책(冊)을 가지고 다니는 사람까지는 보았다. 그러나 간단(間斷)279) 없이 소문 없이 책을 보고 있는 사람은 보지 못했다. 물론(勿論) 소문 없이 보는 것이라 보아도 우리가 보는 줄을 모르는 것일지도 모르겠다마는.

무엇보다도 책을 보아야 한다. 책을 보아서 늘 머리를 새롭게 하여야 한다. 머릿속에 **구더기**가 있고는 더 볼일이 없는 것이다.

---

279) 간단(間斷): 잠시 그치거나 끊어짐.

청결 날 저녁: 박달성(達成)

  몇 해 전, 아니, 지난해까지라도 가을·봄 한 해에 두 번씩 하는 소위 대청결이라고 하는 날은 우리는 더욱이 우리 부녀들은 무슨 큰 액일(厄日)이나 당한 듯이 끔찍이도 싫어했겠지요. 퍽도 귀찮게 여겼지요. "귀찮은 날 또 왔군.", "그놈의 순사들의 덜렁거리는 꼴을 어떻게 보노.", "우리 조선 때는 청결 안하고도 잘만 살았지.", "이놈의 세간살이들 어떻게 다-끄집어내노. 옷장은 어떻게 끄집어내며 쌀뒤주는 어떻게 드 나르누.", "뒷간도 츠리고280) 아궁이도 쑤셔야 한다지, 아이 귀찮아 망한 놈의 세월." 하여 담뱃대 뻗치고 안방 문턱에 앉은 마나님, 빗자루 들고 마루 끝에 선 아씨님, 밥상 들고 부엌으로 들어가는 행낭어멈 모두 다-덜렁거리며 "아범 불러라.", "놈아 불러라." 하고 볼 부은 소리를 해야겠지요. 아닌 게 아니라 청결 날이면 꽤들 법석이었지요. 귀찮아 못 살겠다고 방구석이 썩어지든지 찬장에 곰팡이가 더덕더덕할지라도 편안히 앉아 담배 피우며 허튼수작하지만 갖지 못하다고 퍽들 야단이었지요.

  그리하던 것이 웬일인지 (아마 문명이 되노라 그러겠지요.) 이 해부터는 그런 기분이 덜한가 봅디다 (그렇게 귀찮게 여긴 이도 있었겠지만). 순사가 시키기 전에 일찍부터 부셔대는 집

---

280) 츠다(츠리다): '버릇다', '내다'의 방언(평북). 버릇다: (사람이나 동물이 어떤 곳을) 파서 헤집어 놓다. (사람이 무엇을) 벌여서 어수선하게 퍼뜨려 놓다.

도 있었고 또는 며칠 전부터 "어서 청결 날이 왔으면…….여름을 겪고 나니 집안이 어찌도 더부룩-한지." 하여 청결을 몹시도 기다리는 이도 있었습니다.

내가 순사가 아니니까 집집이 들려보지는 못하였지만 우리집 청결을 하면서 우리 이웃집 동정들을 슬금슬금 살펴보니까 대개는 청결이 여 좋아라고 티 껍질 하나라도 더-치우려 할지언정 싫어하는 기색은 아니 보였습니다. 자-그는 그렇다 하고.

○ 청결을 하고 나니까 어떻게도 좋은지요. 뛰고 싶습니다. 날 것 같습니다. 마음과 몸이 깨끗하고 방안과 뜰이 말쑥한 것이 아무 데나 앉고 싶고 아무 데나 눕고 싶습니다. 여러분도 아마 그렇지요. 참말 좋습니다. 그 구리구리하던 뒷간도 가고 싶고요, 그 귀신이 나올듯하던 마루 밑도 들어가고 싶습니다. 눈 가는 곳, 발 가는 곳이 모두 다 말쑥하고 깨끗한 것이 금시곧 선경281)에나 온 듯하구려. 늘 이렇게 하고 살았으면 하고 가족끼리 서로 말을 전합니다.

○ 청결을 하느라 온종일 쓸고, 털고, 먼지와 싸웠으니까 몸이 더러웠습니다. 물을 한 통 퍼 들고 뒤꼍으로 가서 잠방이282)에 적삼283)을 벗어던지고 머리부터 발끝까지 깨끗이 씻고

---

281) 선경(仙境): 신선이 산다는 곳. 경치가 신비스럽고 그윽한 곳을 비유적으로 이르는 말.
282) 원 표기: 잠방둥. 백석 시인의 작품에는 '잠방둥에'로 자주 등장한다. 잠방이: 가랑이가 무릎까지 내려오도록 짧게 만든 홑바지.
283) 적삼: 윗도리에 입는 홑옷. 모양은 저고리와 같다.

나서 또 전일토록 세간을 내었다 들였다 하느라 수없이 급혔다 젖혔다 했으니까 시장도 했습니다. 분주하지만 특별히 맛나는 반찬을 해서 조밥이나마 한 그릇 두둑이 먹고 나니 즐겁고 쾌한 것이 만승천자[284] 부럽지 않습니다.

담배를 피워 물고 (어린 아기가 있으면 그를 안고 나서겠지만…….) 뜰에서 서너 번 거닐면서 아까 아주머니와 둘이서 잔약한 힘으로 삐칠삐칠하면서 쾌짝 옮기던 생각을 하고, 또 어린이 시켜 점심이라고 땅콩[285] 5전 어치 사다가 다섯이 나눠 먹던 생각을 하며 웃음이 빙그레 나옵니다.

뒷집을 턱지고 걸음을 옮기어 뒤꼍으로 돌아가니 발밑이 가볍고 콧속이 서늘합니다. 마침 음력 8월(八月)이라 며칠 뒤 (추석날) 올벼 절편을 주겠다는 저 얼레빗[286] 같은 반달이 맑고 깨끗한 얼굴로 또렷이 내려다봅니다. 달빛 아래에 슬금슬금 오락가락하니 심신이 더욱 가볍고 쾌한데 귀뚜라미가 장독에서 씨르륵씨르륵 노래하고 바람이 또한 건들건들 불어옵니다. 뒷담에 하얗게 달이 비치고 거기에 이웃집 지붕에 엉킨 박 넝쿨 그림자가 바람에 맞추어 흔들거리니 완연히 병풍 속에 선 듯합니다 그려! 모가지가 부러져오도록 하늘에 별은 한 이천(二千)개 세고 또 귀가 아프도록 씩새리[287] 노래에 곡조를 붙이다가

---

284) 만승천자(萬乘天子): '천자'를 높여 이르는 말.
285) 원 표기: 마마콩. 마마콩: '땅콩'의 방언 (함경, 중국 길림성, 중국 흑룡강성)
286) 원 표기: 얼게. 얼게: 얼레빗의 함경도 방언. 얼레빗: 살이 굵고 성긴 큰 나무빗.
287) 씩새리: 귀뚜라미의 방언(평안북도).

몸이 으스스하기에 잠깐 뒷간에 다녀서(이런 때는 뒷간도 가고 싶지요.) 방안에 들어와 잠깐이나마 책상과 마주 앉으니 책상도 깨끗하고 책도 깨끗하고 보는 글도 깨끗합니다. 모든 것이 깨끗하다니까 똥이 찬 창자까지도 깨끗하다고 합니다.

아-오막살이 구구한288) 살림의 주인공 나도 이러하거늘 하물며 복스러운 맏아들님이나 막내 따님을 안고 달 아래에 거니시는 어머님네나 오빠의 선물이나 동생의 장난을 위하여 바늘에 색실 꿰어 들고 등불 아래 앉으신 아씨님이나 학기 중에 정말 학기라고 힘써 외이겠다고 서책을 들고 책상머리에 앉으신 아가씨님들의 청결을 츠린 날 저녁의 기분이야 말해 무엇하리있가.

아- 우리에게 한없는 경쾌를 주는 이 청결한 저녁! 철마다 있어 지이다. 달마다 있어지이다. 날마다 좋겠소이다.

아- 하늘도 땅도 산도 물도 온갖 것이 다- 말쑥하고 깨끗한데 이 몸이 누운 포단289)도 깨끗하고 이불도 깨끗하니 깨끗한 그 가운데 깨끗한 이 몸이 잠도 깨끗이 들어 꿈도 깨끗이 꾸리라. (끝)

---

288) 구구(區區)하다: 각각 다르다. 잘고 많아서 일일이 언급하기가 구차스럽다. 떳떳하지 못하고 졸렬하다.
289) 포단(蒲團): 침구의 하나. 사람이 앉거나 누울 때 바닥에 깐다.

비단 우산 빠는 법: WY

비단 우양산을 빨려면 우선 뜨뜻한 물에 잠깐 담가두었다가 왜비누를 발라가지고 안팎으로 털솔질을 해서 빨아야 잘 빨리기도 하고 상하지도 않습니다. 그런데 특별히 주의해 빠실 데는 꺾이는 금 나는데 인데 그것은 한참 동안 아주 잊어버리고 빨아서 때를 다 빼이십시오. 그렇게 빤 다음에는 더운물에 넣어서 헹굽니다. 무슨 검은 물이 물은 것이 있는 경우에는 수산(蓚酸)을 물의 일 분쯤 타서 팔팔 끓여서 그 점을 빨아내이십시오. 그래서 다시 맑은 물에 잘 헹궈서 팽팽히 쳐 말립니다.

옷에 검은 오염 빼기: XX

이번에도 의복에 물은 오점(汚點) 빼는 법 몇 가지를 소개하겠습니다.

일(一). 고깃물[290]이나 피나 고름이 물거든 될 수 있는 대로는 당장에 물에 지르잡는[291] 것이 좋습니다만, 만일 잊어버리고 라든지 또는 바빠서 채 못 하고 며칠 지냈거든 그때는 휘발유나 '벤젠'으로 먼저 빨아서 지방분을 없이한 후 따뜻한 물에 빨 것 같으면 쏙 빠집니다. 만약 그래도 아니 빠지거든 왜비누나 또는 엷게 탄 '알칼리' 물에다가 한 번 더 지르잡으면 잘 빠집니다. 그리고 그중에도 피는 조금 따뜻한 물이면 대개 빠집니다만 잘 안 빠질 때는 무를 강판에 갈아서 그것을 피묻은 위에 두어 번 갈아가며 올려놓아 두면 힘들이지 않고 빠지는 것입니다.

일(一). 일본 차나, 커피나, 사탕, 술, 맥주, 과일 물, 간장물, 또는 무슨 찌개국물 같은 것이 물었을 때는, 첫째로 밍근한[292] 물에 빨아도 대개 빠집니다만, 잘 안 빠지거든 뜨거운

---

290) 고깃물: 육즙의 의미로 추정되며 현재 표준어는 아니다. 예시: 전주 비빔밥에 쓰는 밥은 쌀을 씻은 후 물씬 고깃물에 불여서 지은 밥이다. (조선일보 1979. 7. 14. '3천 5백만의 시장 새 경제현장을 가다') 다진 쇠고기를 고깃물이 나올 때까지 볶는다.(조선일보 1997. 10. 25. '명가 맛 기행')
291) 원 표기: 지리잡는. 지르잡다: 옷 따위에서 더러운 것이 묻은 부분만을 걷어쥐고 빨다.
292) 밍근하다: 약간 미지근하다.

물로 빨 것이며, 그래도 아니 빠지거든 엷게 탄 알칼리 물로
빨 것이요, 그래도 안 빠지는 경우에는 '글리세린'으로 빨아
보십시오.

그런데 한 가지 주의하실 것은, 술이 묻은 것은 너무 여러
날 지나면 의복 빛이 변하는 일이 있으니 그 점에 대해서는 주
의하십시오.

일(一). 기름이나 사람의 기름때나, 백납 같은 것이 묻었을
때는, 항용 우리가 가정에서도 많이 하는 것을 보았습니다만,
그 오점 위에다가 얇은 종이를 깔아놓고 그 위에다가 더운 재
를 펴놓고 그 위에 무거운 것을 올려놓아 주면 저절로 빠집니
다. 그리고 오래된 것으로 잘 빠지지 않는 경우에는 우선 물
끓는 김=증기=을 쏘여서 그 자리를 누그러지게 한 후 휘발유
나 '벤젠'으로 빨아내시오.

일(一). 담뱃진이 묻은 경우에는 된장을 맹물에 엷게 풀어서
그에 잠가서 놀려낸 후에 왜비누로 빨면 쏙 빠져버립니다. ―이
위에 말한 약품들은 양약국에 가면 어디서든지 살 수 있습니
다.―

털로 짠 의복 빨래법: WY

요사이 사랑양반293)들은 털로 짠 의복을 많이 입게 되었습니다. 비단 양복뿐이 아니라 조선 두루마기나 바지 같은 것을 털로 짜는 양속으로 해 입으시는 분이 매우 많습니다. 그런데 그것이 더러워지면 대개 빨 줄을 모르셔서, 서양식 마전장이294)에게 삯을 주고 부탁해 빨거나, 그렇지 않으면 더러운 것을 그대로 입다가 내어버리는 일도 있고, 그중에도 혹시 집안에서 빠시는 분도 있기는 있는 모양입니다만 왕왕히 잘못 빠시다가 값진 옷을 버리시고 다시는 감히 손도 못 대시는 분이 많으신 모양입니다. 그러나 사랑양반의 옷을 안에서 빨지 못하고 마전장이를 주어 빠는 것은 여러분 생각에는 어떠하신지 모르겠습니다만 제 생각에는 어째 섭섭한 것도 같고 사랑양반 뵐 낯도 없는 것 같은 생각이 납니다. 이러한 생각이 있기 때문에 털로 짠 의복을 빠는 데 대하여 주의하실 것을 말씀해 드리겠습니다. 그런데 이즈음 털로 짠 의복은 대개 「클리닝」이라는 빨래법으로 빤다고 합니다만 그것은 빛이 검은 것 같으면 별로 관계가 없겠습니다만 빛이 엷은 것은 아무리 해도 왜비누로 물에 담가서 빨지 않으면 깨끗하지를 못합니다. 이제 그 법을 말씀할진대 아래와 같은 다섯 가지 조목이 있습니다.

일(一). 빨래할 물의 덥기는 섭씨 40도 내지 60도로 합니다.

---

293) 사랑양반(舍廊兩班): 집안의 남자 주인을 높이거나 스스럼없이 이르는 말.
294) 마전장이: 피륙을 바래는 일을 직업으로 하는 사람.

너무 뜨겁거나, 너무 찬 것은 모두 해로운 것이니까 손을 담가 보아서 차도 뜨겁도 않게 해야만 됩니다.

이(二). 잿물은 좋은 왜비누 푼 물에다가 암모니아 물을 조금 타서 쓸 것입니다. 왜비누물이 너무 짙거나 또는 양잿물 같은 것을 탄 것은 모두 털옷에 극히 해로운 것입니다.

삼(三). 빠는 방법은 가만히 따뜻한 물에 잠가두었다가 살살 늘러 빨거나, 털솔로 쓸어서 빨아야 합니다. 비비거나 방치질295)을 해서 빠는 것은 극히 해롭습니다. 그리고 빨래에다가 왜비누질을 해가며 비벼 빠는 것은 더욱이 해로운 것입니다.

사(四). 물에 담가두는 동안을 짧게 해야 합니다. 오랫동안 물에 담가두거나 또는 오랫동안 젖은 대로 내버려두는 것은 털 물로 만든 옷에는 매우 해로운 것입니다.

오(五). 말리기는 천천히 말리는 것이 좋습니다. 젖은 것을 다리미질하든지 또는 불에 쬐어서 말리는 것은 털옷을 졸아들 게 하는 것이올시다.

---

295) 방치질: 다듬이질. 다듬이질: 옷이나 옷감 따위를 방망이로 두드려 반드럽게 하는 일.

색상자

▲뜻 밖에 소식이 있다. 여자 고학생 상조회 회장 정종명(鄭鍾鳴) 씨는 자기가 언제 명언(名言)한 것도 아니지만 누구든지 그 양반은 독신 생활을 할 것 같이 알고 있어온 모양인데 뜻밖에 뜻밖에도 치하할 소식이 생겼다. 정 씨는 불원간296) 결혼한다는데 그 양반의 새 신랑은 영남 사람 신○○ 씨(申氏)라는데 생활과 결혼을 따로 떼어 결혼 후에도 생활은 각각 독립이라고요.

▲10월 14일 서울 재동에 있는 여자 강습원에서는 천도교당 안에 음악 무도회를 열었는데 미안하게도 그날은 비와 바람과 번개와 우레가 일시에 몰려와서 장안이 떠나가는 듯 하는 날이라 그래도 비 오기 전에 사람은 더러 모였는데 출연할 악사가 왔어야지. 청중의 독촉은 성화같고 악사는 못 온다는 소식조차 없는데, 전기까지 정전이 되어서 앞뒤는 캄캄 양초를 켜 놓고 무도를 하는 법석은 참말로 보기에 미안하였는데, 무대 뒷방에서는 주최하기에 애쓰신 분이 발을 동동 구르면서 창황망조297) 해 하시는 양도 뵈기에 미안하였고 미안하던 끝에 악사실에 지당가위298)란 중국 과자 한 목판이 소박맞은 며느리처럼 덩그러

---

296) 불원간(不遠間): 앞으로 오래지 아니한 동안.
297) 창황망조(蒼黃罔措): 너무 급하여 어찌할 수가 없음.
298) 지당가위: 중국식 카스텔라. [중국어] 鷄蛋糕(jīdàngāo). 닭 계(鷄), 새알 단(蛋), 떡 고(糕). 한국전통지식포탈에 의하면 '기단가오'라고 한다. 한국 고전 여러 문헌에 여러 번 언급되는데, 그 내용은 다음과 같다. (1) '기단가오'란 것은 닭의 알로 만든 것이라.(무오연행록(戊午燕行錄) 권(卷) 2, 서유문(徐有聞), 1798년(정조 22년, 무오년) 12월 22

니 놓여있는 것도 미안 미안.

▲압록강 건너 안동현[299] 살림에 재미를 붙인 부령사부인(副領事夫人) 말이야, 나혜석(羅蕙錫) 씨 그 성질 활달한 미술가가 요사이는 그림도 못 그리고 글도 자주 쓰지 못하고 살림 정리

일) (2) '기단가오': 메조(黃粱米, 황량미)가루로 찧고 좋은 대추는 씨를 빼지 말고 통째로 붉은 팥과 함께 넣어 삶아 가루에 섞어 켜로 안치지 말고 막 부어 찐다.(규합총서(閨閣叢書) 주의식편, 빙허각 이씨, 1809년(순조 9년, 기사년)) (3) 아침 일찍 발발(餑餑)을 파는 자가 소쿠리 하나를 짊어지고 왔다. 이른바 '발발'이라는 것은 겉을 둥글게 만들고 속을 비워 설탕이나 채소를 채운 것이다. 길에서 파는 것을 대부분 찰진 좁쌀에 대추와 팥을 넣어 골고루 섞고 함께 쪄서 팔 때마다 자르는 것인데 이름은 '점고(黏糕, 체가오)'이다. 좁쌀에 계란을 섞어 찐 것은 '계란고(鷄卵糕, 기단가오)'라고 한다.(경오유연일록(鏡浯遊燕日錄) 건(乾), 임백연(任百淵), 1836년(헌종 2년, 병신년) 12월 10일/세종대왕기념사업회, 부유섭.최식 옮김 p.127) 이러한 사료를 참고하면 '지당가위'는 중국식 카스텔라로 계란을 넣어 만드는 빵이고, 처음에는 '기단가오'로 소개되었으며 약 100년이 지나 그 언어가 '지당가위'로 바뀌었음을 알 수 있는데, 다음의 자료를 보면 1920~1930년대에도 이 단어는 혼재했음을 알 수 있다. (4) 그리하여 어떤 사람은 술치고 만든 '닭알떡'이라고 먹어보았단 말도 있고 청국호떡집에서 만드는 '지당가위'로 알았었다는 사람도 있습니다. (조선일보 1929. 11. 1. '뼈만소용되는즘생', 렴근수) (5) 붕비 선생의 침대에 털썩 앉더니 신문지 안에 사탕과 '기단가위'를 집어내어 아이 이 손 저 손에 나눠 쥐여준다. (조선일보 1932. 4. 7. 단편 '유모(乳母)', 중국 김지(金枝) 작(作), 이손(李遜) 역(譯))

299) 안동현(安東縣): 현재 이름은 단둥(丹東). 전통시대에는 조선과 중국 사이의 외교사절이 파견되어 경유하는 노선이었고 일제강점기에는 독립운동가들의 이동경로가 되었다. 옛 명칭은 안동(安東)으로 고구려 영토였고 멸망 후 당의 안동도호부였고 이후 발해 영역으로 포함되었다. 청나라 시기에는 봉금지대로 사람이 살지 않았고 봉금이 해제된 1876년 안동현(安東縣)이 설치되었다. 1931년 만주사변으로 일본군이 점령한 후 1934년에는 만주국에 의해 안동성(安東省) 안동현(安東縣)이 되었고 1965년 단동시(丹東市)로 개칭했다.(출처: 한국민족문화대백과사전 '단동 (丹東)')

에도 손이 자주 못 간답니다. 에그 병이 나신 게로군 하면 그
렇지도 않고 그럼 내외분이 의가 상했나 그것도 아니 그럼 무
얼까 넌지시 알려드릴까요. 두 번째 어머니 되느라고 기저귀감
장만해야겠다고요.

[대화(對話)] 부처(夫妻) 간(間)의 문답(問答): 나정월 (羅晶月, 나혜석)

처(妻): 그것은 본래 남편이 아내를 진정 사랑치 못하는 까닭이오, 또 여자의 인격을 존경치 못함이오, 무시한 까닭이겠지요. 그러니까 그것은 그 남자의 무지(無知)한 것뿐이오. 이(理)해 여부 문제가 아닐 것이겠지요.

부(夫): 그러면 남편의 이해라는 절대(絶對) 불필요하단 말이오?

처(妻): 그게 될 말이오. 부부가 피차에 이해를 하여야 할 것이지 꼭 그래야 한 가정이 의미 있는 생활이 될 것이지!

부(夫): 그러니까 말이오. 만일 이해치 못한다면 어떻게 하겠느냐 이 말이에요?

처(妻): 글쎄 말이에요. 자유나 평등이나 이해의 의미를 충분히 깨달은 남자라든지 여자일 것 같으면 처음부터 그렇게 이해치 못할 사람과 부부가 되지 않을 것이오. 또 상당히 대우 받을만한 공부와 인격으로 능히 상대자를 감복시킬 만치 신용을 얻었을 것일 터이오. 그리하여 언제든지 제가 하고 싶을 때는 자기가 가진 권리대로 부릴 것 아니오.

부(夫): 만일(萬一) 그렇게 될 듯하던 부부가 중도에 불리하게 된다면?

처(妻): 그것은 제도(制度)를 뜯어고치든지 마음을 뜯어 고치든지 하는 수밖에 다른 길이 없을 터이지요.

부(夫): 말대로 하면 다 쉽지만!

처(妻): 암, 말대로만 하면 어려운 것은 없을 터이니까 누구든지 여자가 입지를 세워놓고 그거에 대(對)하여 항상 충실한 태도로 있을 것 같으면 일부러 심술[300)부리는 남자 아니고서야 누가 감복 아니 할 것이오, 이해 못 할 것이 있겠소. 다 여자(女子) 자신에게 달린 것이지요.

부(夫): 아따 참 장하시군.

처(妻): 그럼 장하고 말고. 미구[301)에 여자들이 다 나와 같이 자각해 보구려. 그까짓 하나만 알고 둘도 생각지 못하는 남자들 무슨 일이 있답디까.

부(夫): 왜 남자는 그대로 있나, 남자는 또 그대로 자꾸 진보해 갈 것인데.

처(妻): 다른 나라 남자들은 그러할지 모르거니와 굴레를 벗지 못하는 조선 남자들에게 진보가 있으면 몇 푼어치가 있겠소. 그중에도 되지 못한 것일수록 제 앞 하나 끌지 못하는 것이 언필칭[302) 여자가 어떠니 어떠니 하는 것을 보면 참 아니꼬와. 삼 년 전에 먹은 오례송편[303)이 다 나올 듯하지[304). 실상 학식 있고 인격 있는 남자들이야 다 자기 앞을 끌어가나기에 어

---

300) 원 표기: 심청
301) 미구(未久): 얼마 오래지 아니함.
302) 언필칭(言必稱): 말을 할 때마다 이르기를.
303) 오례송편: 올벼(제철보다 일찍 여무는 벼)로 만든 송편.
304) 작년 추석에 먹었던 오례송편이 나온다: 다른 사람의 아니꼬운 행동에 속이 뒤집힐 것처럼 비위가 상함을 비유적으로 이르는 말.

느 여가에 여자 타령할 여유가 있답디까.

부(夫): ……….

처(妻): 여보시오. 왜 대답 아니 하시오? 내 말이 옳지요?

부(夫): 옳소, 옳아. 꼭 그렇지.

처(妻): 남은 진정으로 말하는데 말이 말 같지 않소. 왜 농담의 대답이오.

부(夫): 농담은 왜? 꼭 그렇다니까. 그대의 말과 같이 남자가 여자를 여자가 남자를 할 것 무엇 있나. 다 각자 자기 앞 끌어가기에도 힘이 들고 시간이 없는데 다 각기 제 앞만 넉넉히 끌어갈 수 있도록 하면 필경은 완성된 남자와 완성된 여자가 쏟아질 것을. 그 일 없는 놈들이 부인문제를 연구하나니 어쩌니 하고 돌아다니는 것을 보면 얼굴이 빤히 쳐다보이고 어이가 없어 보이더라.

처(妻): 그는 요사이 구주(歐州)305) 전쟁(戰爭) 후(後)에 삼대 문제 즉 '부인문제', '노동문제', '육아문제'가 유행하니까 가만히 있을 수가 없어서 그러는 것이겠지요.

부(夫): 그러면 하필 제 한 몸도 넉넉한 인격을 가지지 못한 놈일수록 그 문제에 착수하느라고 뒤 떠들 것 무엇 있나 다 일이 없고 속여먹을 거리가 없어서 그러는 것이지. 자, 그까짓 머리 아픈 이야기는 그만두고 아까 이야기 끝이나 계속하시오.

처(妻): 참 이야기가 빗나가서 그래. 그렇게 남편이 관후하니

---

305) 구주(歐州): 유럽.

까306) 그 아내인 내가 자유로 다닌다고들 말들 하더라고 하였지!

부(夫): 그래서.

처(妻): 그것 보시오. 당신은 얼마나 팔자가 좋으시오. 집에서 편안히 지내면서 고생하고 다니는 나로 인하여 위가 점점 높아지니, 이와 같이 내가 수차만 더 출장을 가면 당신은 힘 안 들이고 정일품위(正一品位)307)까지 쑥 올라설 것이오. 그 대신(代身) 내가 삼에는 훈일등(勳一等)308)까지의 훈장이 주렁주렁 매달릴 것이니 그러면 내공이 얼마나 크겠고 당신 지위가 얼마나 높겠소?

부(夫): 그러니 어쩌란 말이오.

처(妻): 그러니 지위가 높아지고 싶거든 나를 춘추로 일년(一年)에 두 번씩 풍속 다르고 경치 다른 곳으로 여행을 시키란 말이오.

부(夫): 누가 시켜. 자기 말과 같이 자유요, 자기 힘이지.

처(妻): 그래도 당신의 힘이 많이 들어야지.

---

306) 관후(寬厚)하다: 마음이 너그럽고 후덕하다.

307) 정일품(正一品): 고려 ·조선 시대 문관의 최고 품계.

308) 훈일등(勳一等): 대한제국시대의 훈장제도. 1900년 4월 17일 훈장조례가 공포되었는데 훈위(勳位), 훈등(勳等)을 제정하고 계급에 따라 훈장을 수여했다. 대훈위(大勳位)·훈(勳)·공(功) 3종이 있었는데 훈과 공은 각각 1등~8등까지로 나뉘었다. 독립운동가 민영환(閔泳煥)의 품계가 1902(광무 6)년 12월 21일경 기준으로 정일품(正1品) 훈일등(勳1等) 이었다. 당시 민영환은 대한제국수민원총재(大韓帝國綏民院總裁) 였는데, 수민원은 해외여행권(執照, 집조) 발급 업무를 관장하던 궁내부 산하의 관서이다. (출처: 한국민족문화대백과 '훈장조례' '수민원', 두산백과 '민영환', 대한민국역사박물관 '대한제국 해외여행장')

부(夫): 이건 무슨 모순된 말이오?

처(妻): 아니 당신의 명예를 높여드리는 이만치 보수를 받아
야겠다는 말이에요.

부(夫): 요런 깍쟁이 같으니라군.

처(妻): 참 점잖지도 못하오!

부(夫): 그래, 점잖지 못한 놈이 지위도 쓸데없을 터이니 이
제 그만 돌아다니고 젊었을 때는 가정에서 아이나
좀 충실히 길러보고, 나는 돈 좀 벌어놓고 하여가지
고 늙거든 나하고 실컷 세계 일주를 하옵시다.

처(妻): 그건 무슨 맛으로 늙어서 구경을 다녀, 구경도 기운
이라오. 젊으나 젊었을 때 희로애락의 감정이 칼날
같을 때 보고 듣는 것마다 시(詩)요, 음악이오, 미술
이오, 할 때 물 끓듯 하는 가지각색 감상이 사상이
되고 예언이 되고 철언(哲言)으로 될 때 오직 그러한
때 꿋꿋한 다리로 몇 십리(十里)씩(式) 돌아다니며,
허리 손을 돌라매가면서 가로 뛰고 세로 뛰며 형형
색색 구경할 때를 버리고, 진액이 빠져서 허리가 아
프고 재미가 없고 하품이 나며 다리가 떼어놓을 수
없을 늙으나 늙어서야 내 꼴 남 구경시키려고 다니
겠소? 늙거든 뒷방 구석에서 젊었을 때 보아두었던
것을 되풀이함으로나 낙을 삼는 것이 남에게 신세도
끼치지 아니하고 좋은 것이지.

부(夫): 공상은 옛날이나 지금이나 일반이로군.

처(妻): 늙어서 죽을 때까지 그 공상으로 낙을 삼으려 하는데
벌써 없으면 어떻게 하게.

부(夫): 그래 하얼빈이 어떠합디까?

처(妻): 어느 방면(方面)으로 말이오?

부(夫): 일반 기분(氣分)이 말이오!

처(妻): 말만 해도 서백리아(西伯利亞)309)라니 크고 넓은 기분일 것은 묻지 않아도 알 것이지.

부(夫): 그러면 일반 풍토는 어떠해?

처(妻): 자유롭고 늘어지고 활발합디다.

부(夫): 남녀관계는?

처(妻): 얼마 있지 않은 동안에 어찌 알겠소만 몇 번 활동사진에서 보니까 한번 마음310)에만 들면 비록 유부녀, 유처자라도 목숨을 바쳐가며 끈기 있게 사랑을 할 줄 알며, 한번 틀리는 일이 있으면 언제 알았더냐 시피 씩 돌아서면 고만이게 대담스러운 단념성이 구비하였습디다. 묘년 여자를 유혹하여 내는 수단도 용하거니와 미남자의 꾀에 빠지지 아니하는 피신하는 수단도 또한 용합디다. 그만치 정도가 되어야 비로소 남녀 교제라도 재미있을 것이오, 의미가 있고 자유가 있고 평등이 있을 것입디다.

부(夫): 그러면 그네들 가정은 어때?

처(妻): 네- 참! 내가 제일 먼저 이야기하고 싶었던 것이 그네들 가정이에요. 그 가정 제도는 극히 단단하고 극히 정결하고 극히 질서가 있습디다. 그네들 사는 것이야말로 실로 살기 위하여 사는 것이오, 우리들과

같이 죽지 못하여 살아가는 것과는 천지 상반이겠지요. 제일(第一) 구미(歐米)311) 사람들의 정신 진보한 것이 무엇이냐 하면 즉 평화(平和)의 원칙(原則)을 아는 것입다. 원래 타인(他人)과 타인 사이에 평화스럽게 살려면 강자가 약자(弱者)를 보호하여야 될 것이외다. 그런데 그네들은 이 진리를 압다. 알뿐 아니라 실행(實行)합다. 무엇이든지 어렵고 괴로운 것은 남편이나 아들이 할 줄 알고 힘에 맞을 만치 하는 것은 오직 어머니나 딸입니다. 꼭 우리나라 가정 제도와 정반대외다. 내가 거기 있을 때 실제로 본 것은 아침에 일찍이 일어나 보려면 옆집에서 웬 점잖은 나이 한 사십쯤 됨직한 남자가(아라사312) 사람) 자리옷 입은 채로 큰 물통을 두 손에 하나씩 들고 물을 긷는데 매일 꼭 그렇게 가족 중에 제일 먼저 일어나서 합다. 그런 후 조반을 먹고 나서보려니까 아까 그 집에서 문이 열리더니 프록코트313)에 높은 모자를 쓴 썩 훌륭한 신사가 나오는데 보니까 아까 물 졌던 그 남자가 아니겠소. 나는 그 사람이 보이지 않도록 서서 보다가 과연 그네들의 생활이 평화스럽지 아니하려야 아닐 수 없다 탄복을 한 끝에 우리나라 가정을 생각하니 도시314) 저의 남자들이 일부러

---

311) 구미(歐米): 구미(歐美). 유럽과 미국을 아울러 이르는 말.
312) 아라사(俄羅斯): '러시아'의 음역어.
313) 프록코트(Frock coat): 남자용의 서양식 예복의 하나. 보통 검은색이며 저고리 길이가 무릎까지 내려온다. 원 표기: 후로콧트. 후로고트, 후로코트 등이란 단어로도 쓰였다.(역자)
314) 도시(都是): 아무리 해도. 이러니저러니 할 것 없이 아주.

사서 불평, 불만, 불화가 생겨난 것을 또한 원통히 생각 아니하지 못하였어요. 내가 그 신사 이야기를 거기서 사람 누구에게 말을 한 즉 그 사람은 말하는 나를 도리어 의심스럽게 보며 "그게 무엇이 그다지 이상스럽단 말이오. 아라사 사람의 가정이란 부인은 마치 군주(君主)와 같아서 모든 것을 부부만 할 따름이오. 딸들은 피아노나 치고 춤이나 추고 다니는 것이 세월이며 모든 어려운 것은 남편이나 아들들이 할 따름인데요." 합디다. 내가 대강 본국 가정 소개를 한 즉, 깜짝 놀라며 "약한 여자를 그렇게 알뜰히 부려 먹으면 거기에 평화가 어디 있겠소." 하고 깔깔 웃습디다. 가정이 그렇게 남녀가 화평하고 사랑할 줄 알고 아껴줄 줄 알며 밉살스러울 만치 침착하고 심오하며 질서 있고 정결하고서야 왜 톨스토이 같은, 투르게네프 같은, 도스토옙스키 같은 세계적(世界的) 문호(文豪)가 아니 나고 무엇하겠소. 어느 때 누구와 어디로 가면서 그가 내게 감상을 묻기에 "나는 아라사 사람의 가정 제도를 보고 평생(平生)에 처음 비로소 가정이란 위대한 영향을 끼치는 것인 줄 알았소. 개인 개인이 그만치 남을 진심으로 사랑할 줄 알며 가정 가정이 그만치 평화의 바람이 불고야 세계적 문호, 세계적 사상이 산출 아니할 수 있겠소." 하였소. 실로 나는 가정의 깊은 뜻이 알게 된 것 같아요. 여보, 우리나라 사람 중에도 구라파 바람을 쏘인 사람은 다 나와 같은 감상을 가졌겠지. 참 그네들

의 스윗홈이라는 꿀과같이 달다는 그 말대로 살아가
는 것을 보고 엉덩춤이 저절로 나올 만치 자기들도
그렇게 할 듯싶었을 터이오. 침이 그득그득 괴이도록
부러웠을 터이지. 그런데 그네들은 왜 한 사람도 실
행을 못하여 왔을까. 참 이상스러운 일이지. 그도 그
렇게 될 것이 그들의 상대자인 남자나 혹 여자는 그
와 정반대의 세계에서 자라나고 보고 듣고 하였을
터이니, 뜻과 생각이 어찌 맞겠소. 알고 있는 한편에
서만 아무리 조바심을 치고 있더라도 한편에서는 태
연 무심히 있을 터이니 며칠 부적부적 키우다가는
할 수 없이 턱 나가자빠져 버리면 또 역시 그냥 그
대로의 생활 되고 마는 것이지. 그러니 밤낮 해야 그
타령이 그 타령이지. 마음대로 할 수만 있으면 갑
(甲)이라는 이상을 품은 남자와 을(乙)이라는 이상을
품은 여자가 부부가 되었으면 그가 정이 원만하였더
니만, 그도 역시 정도가 맞지 못하는 수가 많고 개개
하나씩 부족한 남자나 여자가 섞여 부부가 되니 이
는 과도기 조선에서는 면치 못할 사실이지만 하여간
생활에 조화를 찾아야 비로소 색채도 있을 것이오.
거기에 기운도 보일 것 아니겠소. 내 생각 같아서는
연연이 몇십 명씩(十名式) 관광단을 모집하여 일본의
부사산315)이나 일광(日光)316)이나 송도(松島)317) 같

---

315) 후지산(富士山)
316) 닛코. 간토지방의 관광 도시.
317) 마쓰시마. 일본 미야기현의 군도. 260개의 섬으로 이루어져 있으며,
    일본 3대 절경 중 하나로 꼽힌다.

은데 구경썩이 난 것보다 가깝고도 서양풍속을 볼 수 있는 상해나 하얼빈 같은 가정 시찰이나 시켜 근본적 생활개선책을 실행하는 것이 얼마나 큰 사업일는지 모르겠어요. 더구나 가정을 능히 좌우할 수 있는 권리와 책임을 가진 지식 계급의 주부들로 하여금 한 번씩 시찰을 시키는 것이 눈살 찌푸리게 되는 남편들의 얼굴에 얼마나한 화색을 끼칠는지 모르겠더구면. 사는 의미도 모르는 자(者)를 이 공부는 해 무엇하고, 명소(名所)는 보아 대체 무엇에 쓸 것인고.

부(夫): 서양(西洋) 풍속이라고 다 좋게 보아서는 아니 될걸.

처(妻): 네- 그는 꼭 그래요. 동양 풍속보다 더 못된 풍속이 많지요. 그러기에 내 말은 누구든지 동양(東洋)서 사람이 되어서 서양을 갈 것이라고 생각해요. 사람 되기 전에 가면 그곳 풍속에 화(化)하여 버리는 인형(人形), 즉 수출물이 되고 말아버리지마는 사람이 된 후에 가면 그곳을 이해할 수 있는 창작가(創作家), 즉 수입물이 되는 것 아니오리까. 그러니까 공연히 서양, 서양들 하지마는 서양 아니 간 사람으로도 서양 가서 대학 졸업까지 한 사람보다 오히려 더 나은 사람이 있을 터이니까 누구든지 먼저 사람 되는 수밖에 없을 것이지요.

부(夫): 자 인제 그만 잡시다. 벌써 10분만 있으면 새로 한시(時)로구려.

처(妻): 참 잘 씨불였다. 그러나 이는 내의 행담에 육분지일

(六分之一)밖에 되지 못해요. 참 별의별 것 다 볼 때마다 별의별 나게 이치를 부쳐보았지요. 나는 평생소원이 탐험객 노릇하였으면 무슨 큰 성공이 있을 듯 싶어요.

부(夫): 다하겠다지.

처(妻): 아니다 할 가능성(可能性)도 있겠지마는 특별히 탐험객이 되고 싶어.

부(夫): 되지!

처(妻): 원수의 계집으로 난 까닭으로.

부(夫): 여자는 못 할 것이 무엇 있나.

처(妻): 못하지는 아니하지만 소극적에 지나지 못해!

부(夫): 왜?

처(妻): 사회적 비난이라든지 풍속 습관의 위반은 물론 괘념할 바318)아니라 치더라도 신체가 허약한 것이 제일 큰 원인이요, 또 생리상 불편한 점도 있으니까.

부(夫): 힘자라는 대로 하지.

처(妻): 차라리 아니할지언정 하면 내가 하고 싶은 것을 할 수 있어야지.

부(夫): 어째서 그런 자신이 생겼소.

처(妻): 생(生)긴 것이 아니라 본래 있어요. 어렸을 때부터 지금까지의 경로를 생각해 보면 꽤 위태한 모험이 많았어요. 한 예를 들면 어느 길이든지 갔던 길로 돌아와 본 일이 없었지요. 그리고 호랑이가 있으려니 하면서 밤중에 컴컴한 골목으로도 다녀본 일도 있고,

---

318) 원 표기: 괴혐할배

심지어 어디서 별안간 도둑놈 좀 만나보았으면 한때
도 있어요.

부(夫): 남자로 났다면 큰일날 뻔했군.

처(妻): 그러기에 연전에 동아일보에 '남자가 되었다면',
'여자가 되었다면' 하는 제목 아래에 몇 사람의
말이 났는데 이구동언으로 남자의 말은 '남편의 비
위를 잘 맞추는 여자가 되었겠다.' 여자의 말은
'아내를 사랑하여 주는 남자가 되었겠다.' 하였지
만 내가 만일 쓸 것 같으면 그렇게 누구든지 할 수
있는 것이 아니라 남자가 아니면 좀 불편하겠다는,
즉 탐험객, 모험객 노릇을 하겠다고 쓰고 싶었어요.
그러나 나도 말년에 꼭 하나 해보려고 하는 것이 있
어요.

부(夫): 무엇이오.

처(妻): 그것은 이후 차차 이야기하지요.

부(夫): 이야기 끝에 다 하구려.

처(妻): 미리 하면 다 식어버리니까 할 때 말하지요. 하여간
내가 자라날 때 꽤 적막을 즐겨 늘 혼자 있으며 공
부도 다니고 혼자 산보도 다닌 것이라든지 또 말년
(末年)에 그와 같은 생활을 할 터인데 어찌하여 현재
이와 같은 번잡한 생활을 하는지 생각하면 우스운
고로 이상스러워요. 그것은 그러하거니와 아까 내가
가정에 대한 감상을 말하지 않았어요?

부(夫): 그래.

처(妻): 어떻게 생각하시오?

부(夫): 무엇을?

처(妻): 우리도 그렇게 남들과 같이 사는 것답게 살아보고 싶지 않소?

부(夫): 어떻게?

처(妻): 서로 사랑할 줄 알고 서로 아껴줄 줄 알며 약한 자를 도와줄 줄 앎으로 화평하게 살 수 있게!

부(夫): 왜 우리는 그만치 못 사나! 재상들의 생활(生活)보다, 만석(萬石)꾼의[319] 생활보다, 우리 생활이 더 낫다나. 제일 가정이 간단하고 정결하고 돈 쓰고 싶을 때 쓸 수 있는 것만 해도 조선 신가정 중에도 몇 개나 있겠소.

처(妻): 다 내 힘이지.

부(夫): 뉘 힘이든지.

처(妻): 그러나 말만 그리지 말고 내일부터 실행합시다.

부(夫): 어떻게?

처(妻): 우선 내일 아침부터 당신 주무신 자리는 당신이 개시오. 그리고 세숫물도 당신이 손수 떠다가 하시오. 그렇게 모두 자치 생활을 시작합시다.

부(夫): 그대는 두어서 무엇하고.

처(妻): 저것 봐. 저따위 소리가 나오니 내 입에서도 좋은 말이 나올 수가 있나. 평화 하는 것은 맛도 못 보아보겠소.

부(夫): 그렇게 걸핏하면 노하지 말고 좋은 도리대로 합시다. 그래 그게 무엇이 그리 어렵겠소.

---

319) 원 표기: 만석(萬石)꿩이

처(妻): 어렵지도 않은 것을 못 할 것도 아닌 것을 아니 하려 드니까 말이지.

부(夫): 한다니까 왜 그래.

처(妻): 만일(萬一) 아니하면.

부(夫): 벌주소.

처(妻): 어떻게.

부(夫): 종아리를 때리소.

처(妻): 그것은 잠깐 아프고 고만들 것인데.

부(夫): 그럼 무슨 벌이 좋을까.

처(妻): 오늘 낮에 주던 벌과 같은 것이 좋지.

부(夫): 그건 너무 과도한걸. 아따, 아무렇게나 하시구려.

처(妻): 그러기에 그 과한 벌을 받지 않도록 하는 것이 제일 상책이지요.

부(夫): 그렇고말고.

처(妻): 그러니까 무엇이든지 다 각각 자기 앞의 남에게 끌리지 아닐 만치 늘 준비하고 살잔 말이지. 그렇게 살수록 서로 떨어질 수 없게 되는 것이오. 아내가 남편에게 늘 끌려 살고 남편이 늘 아내를 업신여기기 때문에 거기에 자칫하면 싸움이 일어나고 그것이 심하면 세속에 소위 이혼까지 되는 것이지. 하여간 누구든지 적극적 행동을 취하는 곳에 자유와 평등과 평화가 유지되는 줄 아니까요.

부(夫): 그래, 그대는 그러한 태도로 살아가오?

처(妻): 그럼요. 항상 그러한 마음 준비가 있지요. 남편이 만일 내게 대하여 큰 불평이 있다면 어느 정도까지 없

도록 힘써보지마는 까닭 없이 있는 때는 나는 결단
코 그것을 가지고 싸움하려고 아니 들어요. 그 사실
은 벌써 나타난 여자에게 그만치 사랑의 힘이 없어
졌으므로 내가 그만치 싫증이 난 태도니까, 이는 자
기도 모를 마음일 터이니 내가 어찌하겠소. 내 몸을
피해주는 것이 그 사람이나 내게 대(對)하여 제일 상
책이지. 그러하고 결코 늘 불안심으로 살고 싶지는
아니해요. 그것은 만일 그러한 경우에 이르면 그렇게
하리라는 예비심에 지나지 못하는 것이오, 사랑을 주
고받고 할 때 누가 장차 닥쳐올 불행의 경우까지 생
각하는 사람이 있겠소. 그러한 사람이 있다하면 그러
한 예비심이 없는 이만 갖지 못한 것이지.

부(夫): 응! 그럴듯하군.

처(妻): 그럴 듯이 아니라 꼭 그런 것이지. 그러기 때문에 조
금 안다는 신식 여자일수록 여간한 근면과 노력을 가
지지 않고는 사람 노릇해 보기 어려울 것이야.

부(夫): 그럴 터이지.

처(妻): 아마 여자뿐만 아니라 남자도 일반일 것이지요. 다만
남자는 범위가 좀 넓을 뿐이겠지.

부(夫): 자 그만두고 잡시다.

처(妻): 나도 찬성이오.

부(夫): 불 끕시다.

처(妻): 끄시오.

부(夫): 그대가 끄오.

처(妻): 먼저 자자고 한사람이 꺼야지.

부(夫): 그런 것은 여자가 하는 법이야.

처(妻): 그것도 아니 되었네.

부(夫): 그러면 공평하게 가위바위보[320]를 해서 지는 사람이 끄기로 합시다.

처(妻): 그럽시다.

부(夫): 가위바위보……….

처(妻): 그것 봐. 져서 끄면 무엇이 나은가.

부(夫): 기어이 내가 끄게 되는군.

하고 등을 탁 끈다. 번쩍하고 죽어버리자 방안은 깜깜하여졌다. 두 영혼은 평화의 꿈속에 들어 곱고도 부드러운 숨소리가 오고 가고! 가고 오고! (완(完))

(7월 11일)

---

320) 원 표기: 장게뽕: [일본어] じゃんけん(拳)ぽん. 한국에서는 장게뽕, 짱께뽕, 짱깨뽕 등으로 표기되었다.

창간호(創刊號)를 삽니다.
읽으셨으면 팔아주십시오.

또 이 구구한 청을 하게 되었습니다. 신여성(新女性) 창간호(創刊號)는 나기 전(前)부터 여러분의 재촉이 빗발치듯 하더니, 기어코 책(冊) 난 지 열흘도 못 되어서 한 권도 남지 아니하고 다 팔렸습니다. 우리 신여성이 이렇게 환영 되어 간 것은 기쁜 일이오나, 책은 없는데 주문(注文)이 매일(每日) 매일 답지하여서[321] 미안하고도 퍽 곤란합니다. 책이 없다고 회답(回答)한 즉 구(求)해서라도 한 권(卷) 보내달라고 간절히 요구하시는 분이 많아서 어찌하는 수 없이 여러분이 보시고 난 책을 다시 사드리기로 하오니 여러분이 보셔서 유익한 책이면 한 권이라도 더 우리 부인(婦人)에게 읽히기 위하여 보시고 난 창간호를 본사(本社)로 보내주시면 책가(冊價) 30전(參拾錢)을 보내든지 새로 나는 책으로 바꾸어 드리든지 하겠사오니 부디 돌려보내 주시기 바랍니다.

경성 개벽사 내 신여성 판매부(京城開闢社內新女性販賣部) 백(白)

---

321) 답지(遝至)하다: 한군데로 몰려들거나 몰려오다. 쇄도하다.

[소설(小說)] 선례 (미정고(未定稿)): 김명순(金明淳)

그렇습니다. 선례는 내 꿈의 주인공은, 불길이 점점 타올라서다 붙은 다음에는 꺼지듯이 그렇듯이 저를 알았습니다. 아니오. 차라리 유혹[322] 했었더란 말이 옳겠지요. 그의 정열(情熱)은 봄노래로 시작되었었습니다. 그리고 여름의 서늘함으로 지난함을 잊게 하고 겨울의 고요함과 엄숙함으로 마치 "선녀가 우물가에 내려왔다가 돌아간다." 듯이 그나마 꿈속에 나타났다 사라지듯이 자취도 없이 사라져 버렸습니다.

여러분 저는 깨지 못할 꿈을 꾸었습니다.

여러분 저는 낫지 못할 병을 앓았습니다.

그조차 적당한 말이 아니올시다마는 저는 아직 제 지나온 경력을 말하려 해도 합의한 말을 못 찾습니다. 그러나 그 속에서 제 눈은 얼마쯤 떴습니다. 거기서 저는, 저는 옛 생활의 터를 닦던 경도청년회관[323] 기숙사 음악실로 돌아와서 픽 가라앉아

---

322) 원 표기: 유혁
323) 경도청년회관(京都靑年會館): 현 '교토대학 YMCA회관'으로 추정된다. 1923~1924년 한국의 신문에 의하면 삼조청년회관(三條靑年會館), 시내삼조기독교청년회관(市內三條基督敎靑年會館)이라는 교토의 청년회관이 언급된다. 1927년 교토제국대학 천문동호회의 잡지 '천계'에 의하면 동호회 사무소가 경도시삼조청년회관내(京都內三條靑年會館)에 있었다. 이 점을 미루어 본문의 경도청년회관은 교토의 산죠(三条) 근처에 위치했고, 교토제국대학과 연관된 장소임을 짐작할 수 있었다. 해당 위치의 청년회관을 조사한 결과, 가장 근접한 것이 1913년 준공된 '구 교토제국대학 기독교 청년회 회관(현 교토대학 YMCA회관)'이었는데 청년회관 북쪽에 기숙사(地塩寮)를 인접하여 지었으므로 소설 '선례'에서 언급한 '청년회관 기숙사'의 조건이 충족한다. 건물은 윌리엄 메렐 보이스(Vories William Merrell)가 설계했는데 현재 일본에서는 현존하는 대학 YMCA회관 중 가장 오래된 건축물이라고 하며, 19

서 임의로 움직여지지 않는 솜씨로 소학 창가집을 펴놓고 익히
는(자신(自身)을 찾아내었습니다.) 옛 생활 폐허(廢墟)의 혼돈
(混沌) 가운데서 다 자란 어린아이가 피투성이를 하고 한 발자
국 두 발자국 첫걸음을 연습하는 저를 찾았습니다.

그것이 어김없는 나 김○○이올시다.

그때 제가 얼마나 섭섭함과 절망 가운데 빠진 것을 여러분은
짐작하시겠지요. 그러나 지나가는 때들이 한 구절, 구절의 곡조
가 되어 영원의, 영원의 큰 바다에 사라져 버리는 큰 운명을
저의 힘으로 어찌하였겠습니까.

선례는 한 마력(魔力) 있는 조율(調律)이었습니다. 아- 사람
은 그 일평생 한 아름다운 음절(音節)을 짓는 데서 더 위대한
일을 할 수가 있을까요.

흐르는 물결은 잠깐잠깐 만나는 그의 환경인 언덕에게 잠깐
잠깐의 눈웃음을 보내고, 꿈도 꾸지 않고 수선도 피지 않고, 다
만 자기의 길을 갈 뿐이겠지요. 그 물을 흘려보내는 언덕은 영
원히 움직이지도 못하고 저의 모양을 늙히면서 가장 힘 많던,
가장 아름답던 자기네의 한때를 모든 때가 다- 그 한때이던 것
같이 바라보겠지요.

여기 이르러 먼저 선례가 저를 유혹(誘惑)했더란 말은 아주
거짓말이 됩니다.

99년 7월 일본의 국가등록유형문화재로 등록되었다. 위치는 일본 교토
부 교토시 사쿄구 요시다우시노미야초 21(京都市左京区吉田牛ノ宮町
２１). (출처: 조선일보 1923. 1. 17. '경도연합대회', 동아일보 1924.
3. 6. '경도에 호헌대회', 천계(天界) 1927년 제77호. 교토제국대학천
문대 내 천문동호회, kyotofukoh.jp, kyotopi.jp)

아, 그러면 선례는 저의 앞을 지나갔을 뿐이겠지요.

저는 한때 사람에 흘러지지 않을 수 없다고도 생각하였습니다. 그러나 저의 생각은 비참하게도 옳은 행동을 얻지 못하고 소택(沼澤)324)의 물이 바람 불 때마다 출렁거리면서도 감히 흘러지지는 못함을 느꼈습니다.

저에게는 선례만이 아름답습니다. 다만 선례만이 생명 있는 여자올시다. 저는 이 세상의 무수히 유동(流動)하는 여자를 통하여 흘러지는 모든 음조(音調)를 통하여 선례만을 상상합니다.

여러분, 사람은 모든 사욕을 잊을 때 가장 공평한 생각으로는 자기의 원수라도 극도의 아름다움으로 한없이 칭찬할 수가 있습니다.

선례는 평안도 부근에서 흔히 선녀라고 짓는 이름을 굴려서325) 일본말로 부르기 좋도록 고친 것 같습니다.

그러한 선례의 유래(由來)는 저도 자세히 모르지만, 선례는 무엇인지 그 부친은 영남 광대이고 그 모친은 평양 기생이라나 봅디다. 만일 그 일이 진정이면 누구든지 모르는 이가 없겠지요. 그 훌륭한 큰 재산을 가진 기생 배영월이라면은요. 그리고 대신의 첩으로 광대를 상관해서 아이를 낳아서 어디로 숨겼더란 일도 여기 앉으신 분은 가장 어렸을 때 기억으로나 또는 태중 풍문으로나 한 진기한 괴변으로 기억하시겠지요. 그러나 사람의 사실은 전부 잘못 전해지는 것이 가장 어렵지 않은 일이올시다.

---

324) 소택(沼澤): 늪과 못을 아울러 이르는 말.
325) 원 표기: 구을려서

그러나 선례가 자란 곳은 경도[326]올시다. 거기서 그는 어느 귀족들이 다니는 학교에서 가장 취미가 깊은 귀족의 따님으로 이해를 받고 귀하게 길러왔습니다.

그 선례는 지금 어디가 있는지 저는 도무지 모릅니다. 제가 아는 선례는 다만 그 일 년 동안 뿐이올시다.

그러나 저는 선례의 일을 세상에는 묻지 않습니다. 누가 그를 알겠습니까. 안다 한들 누가 그를 저보다 더 사랑할 줄 믿어지겠습니까.

여러분, 여기 미쳐서 몹시 아득거리게 하던 꿈은 깨어졌을 듯합니다. 그러나 저는 참으로 제 일상에 한 분명한 꿈을 잊을 수가 있을까요.

제가 익히는 어린 발걸음의 한 발자국의 자취는 반드시 선례를 생각하는 아픈 마음으로 형상을 박았겠지요. 그러나 이 어린 발걸음은 비록 뜨더라도 반드시 앞으로, 앞으로 나아갈 것이올시다. 그동안에 저는 음율(音律)과 색채(色彩)와 운동(運動)으로 통일하려던 저의 그림을 그리게 될 수가 있겠지요.

여러분 사람의 모든 생활은 흘러지는 곡조로 기초하지 않을 수 없습니다. 그때까지 제가 처음 겸 마지막으로 화가(畵家)가 되려고 큰 공상(空想)을 품고 그렸던 『춤추는 여인』이란 그림은 선례의 집 속에 연의 승리품(연(戀)의 勝利品)으로 깊이 들어서 사로잡힐 혼같이 온 세상에 모든 그윽한 곳을 편답할[327] 것입니다. 이 때 저는 찬딘스키의 컴퍼지션(구상(構想))

---

326) 경도(京都): 일본 교토.

이 알아질 듯합니다.』

  김 선생은 이같이 말을 마쳤다. 듣던 여러 선생님은 지나온 동무의 굴곡 있던 길을 생각하고 한마디도 얼른 말을 내지 못한다. 이야기하던 김 선생의 눈은 가장 가련한 빛을 가지고 김남숙이라는 여선생님의 얼굴을 보았다. 그 얼굴은 그 참참하고 붉던 것이 샛노랗게 변하였다.

  그 윤택하고 속눈썹 긴 검은 눈은 의심스럽게 흐렸다. 그는 입술을 다물고 간신히 참는 듯한 표정을 짓다가 아뜩해졌는지328) 책상에 머리를 숙였다.

  마치 음악 선생의 이야기는 김남숙329)이란 선생 홀로 유심히 들어서 그 적은 온몸과 온 영혼이 몹시 흔들리는 것 같다.

  여러 사람은 아리송송한 이야기 뜻에 억눌려서 오랫동안 입을 닫았다.

  이때 신명 학교 운동장 뜰에는 그늘이 점점 널따랗게 비추어서 양지를 가려간다. [끝]

   □

       □

             □

---

327) 편답(遍踏)하다: 이곳저곳을 널리 돌아다니다.
328) 아뜩하다: 어지러워 정신을 잃고 까무러칠 듯하다.
329) 원 표기에서 첫 이름은 '김낙숙', 두 번째 이름은 '김남숙'으로 표기되어 있다. 당시 더 흔했던 이름은 김남숙이므로 이 표기로 통일하여 번역했다.(역자)

여학교(女學校) 통신(通信)

◇ 우리 학교: 평양정의여고(平壤正義女高) 홍선양(洪善孃)

　우리 학교는 무엇하나 꼭 집어 이런 것이 있습니다 라고 자랑할 만한 것은 없습니다. 그렇다고 이런 것은 흠점이외다 하고 끄집어 내일 것도 없습니다. 그저 평범하올시다.
　그러나 전번(前番) 창간호(創刊號)를 읽을 때 여러 학교의 재미있는 이야기가 많습디다만 우리 학교만이 빠진 것을 찾아 읽었을 때 왜 그런지 어린 소견에 좀 서운한 생각이 들어요. 그래서 이런 학교도 있습니다 하고 알아주기를 바라고 말이 되었는지 안 되었는지도 모르고 글자를 연달아 놓습니다.

　아무리 자랑할 것이 없고 흠점이 없다고 하여도 그래도 그중에 나은 것과 그중 못한 것을 쓰자면 자랑할 것으로는 생도(生徒)들의 성적이 그다지 과한 차이가 없는 것은 자랑거리로 내어놓을 수 있을까 합니다. 그리고 흠점은 생도들이 일반으로 너무 사치합니다. 우리 학교 교복은 아래위로 모두 흰 것입니다. 그런데 무명것인들 어떻겠습니까만 쓱 나선 것을 보면 비단 저고리에 명주 치마가 일수이지요. 물산 장려의 운동이 심한 오늘에 이것이 흠점이라면 흠점이 된 것 같습니다. 그리고 한 가지 바라는 바는 교장선생님 이하 여러 선생님들이 운동이라는 것이 무엇인지 좀 잘 이해하여 주었으면 좋겠어요. 우리 학교에서는 숙명에 문상숙 양 같은 선수(그보다 더 나은 것도 좋습니다.)는 나지 못한다고 누가 도장 찍었나요. 그러나 하늘을 보아야 별을 따지요. 운동이라면 선생님들이 아주 끔적- 놀랜답니다.

그리고 맨 나중으로는 선생님들과 생도들 사이가 좀 더 친해졌으면요. 이만입니다.

◇ 가정(家庭)보다 따뜻한 우리들의 기숙(寄宿) 생활(生活): 정신(貞信) 김(金) SH

여자고등학교(女子高等學校)니 숙명(淑明)이니 이화(梨花)니 해야 기숙사(寄宿舍)로는 우리 학교(學校)가 장안(長安) 일등(一等)이겠지요. 그리고 기숙(寄宿) 생활(生活)의 즐거운 맛도 우리들이 제일이 되겠지요. 왜 그런가 하면 우리 기숙사는 학교 강당(講堂) 위층(層) 공기(空氣) 좋고 경치(景致) 좋고 또 넓고 긴 대(大) 기숙사이외다. 창(窓)을 열어젖히면 장안 만호(萬戶)가 눈앞에 꿀리고 사(舍) 안에 들어서면 방과 방에 2, 3명(名) 3, 4명의 학생들이 조용하게 마주 앉아 혹(或)은 책(冊)을 보며 혹은 그림을 그리며 혹은 수를 놓으며 또 혹은 이야기도 하면서 밤낮 하루 같이 즐겁게 지냅니다.

우리 기숙사에는 지금(至今) 한(限) 백 명(百名)의 동무가 들어있습니다. 기숙사는 한 달에 8원(八圓)씩(式)을 내고 식사(食事)는 식모(食母)가 하고 또 책상(冊床)과 궤(櫃)짝 같은 것은 학교에서 설비(設備)해 주고 침구(寢具)와 옷은 각자(各自)의 자담(自擔)330)이외다. 목욕실(沐浴室)이 있고, 세면소(洗面所)가 있고 따라 변소(便所)까지 2층(二層)에 있고 식사(食事)는 공동(共同)이 하되 하루 더운밥 삼시(三時)이외다. 아침은 일곱 시에 먹고 점심(心)은 12시(時) 30분(三十分)에 먹고 저녁은 5시(時)에 먹습니다. 아침이나 점심(點心)때는 곧 상학(上學)이 되니까 바삐 먹고 또 바삐 강당으로 들지만 저녁이면 천천히 먹고 또 이 방(方) 저 방(方) 사람이 한데 모였으니까 우스운 이야기와 재미나는 유희(遊戲)로써 한참 동안 실컷 웃으며 손뼉 치고 날뛰다가 각각(各各) 제 방으로 가서 공부(工夫)합니다.

이렇게 날마다 여럿이 웃음과 사랑 속에서 잘 배우고 잘 놀고 잘 먹고 하니까 집 생각이나 어머니 생각이 날 새가 없고 그저 일 년(一年)이 하루 같이 즐거운 중(中)에서 지내갑니다. 더욱이 우리를 일일(日日)시시(時時)로 돌아보아 주시는 사감(舍監) 방신영(方信榮) 선생(先生)님은 어찌나 정(情)다우신 어른인지요. 끔찍이도 고마운 어른입니다. 학과(學課)는 무론(毋論)331)하고 밥 먹는 것, 잠자는 것까지도 낱낱이 보살펴줍니다. 누가 혹 몸이 아프거나 또 혹 외로워하면 손수 머리를 짚어주고 또 재미나는 이야기로써 위로해 줍니다. 나는 명년이 졸업인데 졸업하고는 이 정다운 따뜻한 우리 기숙사를 어떻게 떠나나 하고 지금부터 큰 걱정 중입니다.

---

330) 자담(自擔): 스스로 맡아서 하거나 부담함. 자비부담.
331) 무론(毋論): 물론(勿論)

◇ 꾀꼬리보다 어여쁜 잡지: 숙명(淑明) 김생(金生)

설마한들 다른 학교(學校)에는 우리 학교와 같이 이런 훌륭한 것은 없겠지요. 이것을 한마디로 얼른 해버리면 재미332)도 없겠거니와 간단(簡單)히 해버리기는 아깝기도 합니다. 모양(模樣)을 그려놓은 게 무엇인가? 알아내십시오. 대개 이런 것입니다.

몸은 하얗고 크기는 키가 한 뼘 넓이가 키의 반절이 채 못되고 몸집은 스무 현=아니 스무 관333)=이요 얼굴은 **에메랄드 그린 빛**이요, 온몸에는 검은 맥이 동해있습니다. 그런데 그 맥을 짚어보면 우리 학교 육백 명(六百名) 학우(學友)들이 참된 살림을 아실 수가 있습니다. 한번 다시 말하자면 우리 학우의 한 호흡(呼吸)한 호흡으로 그것의 맥이 되었습니다. 이름은 숙명(淑明)이라고 지었습니다. 그리고 어찌 많이 늘어가는 것인지 한 달에 하나씩 새것이 더 생깁니다. 무엇인지 아시겠습니까! 속 시원하게 말씀 하지요. 별(別)다른 것이 아니라 우리들이 쓴 글로 우리들이 해나가는 꾀꼬리보다 더 어여쁜 잡지가 있다는 것입니다.

---

332) 원 표기: 자미(滋味)
333) 관(貫): 한 근의 열배로 3.75kg에 해당한다. 스무 관은 70kg이다.

◇ 가정과의 연락이 많습니다: 여자고보(女子高普) 김○옥

우리 학교(學校)는 금년에 새로 지었습니다. 재동(齋洞) 거리에서 취운정334)을 바라보면서 얼마 들어가지 않아서 길 서편(西便)에 하늘에 닿을 듯이 높이 솟은 이층(二層) 양옥(洋屋)이 곧 우리 학교(學校)올시다. 교사(校舍)는 웅장하고도 화려합니다. 그뿐만 아니라 타 모든 설비(設備)까지도 완전(完全)합니다. 교문(敎門)으로 들어갈 때의 기쁨과 나올 때의 섭섭함은 우리가 날마다 맛보는 느낌이올시다.

---

334) 현재 감사원 후문에 취운정 터 표시석이 설치되어 있다(서울특별시 종로구 삼청동 25-24). 취운정은 조선시대에 임금께서 종묘부터 태화궁까지 행행할때 지났던 동네이다. 순조의 비인 순정효황후의 부친 여은부원군 민태호가 이곳에 취운정이라는 정자를 지었는데 후에는 근방 동네를 지칭하는 동네 명칭이 되었다. 취운정은 갑신정변을 일으켰던 인물들이 회의를 했던 동네이기도 하고, 유길준이 이 곳에서 유배하며 <서유견문>(1889)을 집필한 것으로 유명하다. 이곳의 내력을 살펴보면 흥선대원군의 첩(백락동 마마님)이 살았고, 그가 죽고 의친왕의 사저가 되었다가 한성구락부가 되고, 국권이 피탈된 후에는 조선귀족회의 소유가 되었는데, 이때는 이미 이 동네 만민의 공원 역할을 하게 되었다(학생들의 아침 운동장, 웅변, 성악 연습장, 중노년들의 피서지, 장기, 바둑, 오락장, 부인들의 세탁장, 활쏘기 터 등). 1920년 가을에는 취운정에 경성도서관이 건립되어 사람들이 많이 이용했는데 해당 터 표지석은 현 감사원 정문 앞에 표시되어 있다. 조선귀족회는 자금이 부족해지자 1928년 일본인에게 취운정 약 14,000평을 10만원에 팔았다. 추정되는 취운정의 범위는 감사원 위치부터 청린동천이 각자로 새긴 바위가 위치한 가회동 경남빌라 인근까지로 추정된다. (출처: 동아일보 1921. 2. 25. '장서삼만오천부', 동아일보 1924. 6. 28. '가회동 취운정', 동아일보 1928. 8. 5. '유서 깊은 역사', '북부의 사실상 공원', 오마이뉴스 2019. 9. 5. '취운정과 삼청궁원숲속도서관 1, 2', 문화원형 디지털콘텐츠 '취운정 터', 국방신문 2021. 12. 21. '"한국 공공도서관의 발상지" 서울시교육청, '경성도서관 옛터 표석 설치')

그러나 학교만 좋을 뿐으로 반드시 교육(教育)이 잘되는 것이 아니올시다. 우리 학교에는 자랑거리가 많습니다. 그 가운데 가장 자랑할 만한 점(点)은 학교와 가정(家庭) 사이에 연락을 많이 취(取)하는 것이올시다. 연락을 취하는 방법(方法)은 여러 가지로 합니다. 혹(或)은 학예회(學藝會), 음악회(音樂會) 같은 것을 될 수 있는 대로 자주 열며 또는 하기(夏期) 휴학(休學) 기간에 부인강습회(婦人講習會) 같은 것도 종종 열기도 합니다. 그 밖에도 때때로 생도(生徒)의 부형(父兄) 모자(母姉)를 청(請)하여 학교에 대(對)한 감상(感想)335)과 요구(要求)를 가끔 묻습니다. 그리하여 학교와 가정의 훈련(訓鍊)을 아무쪼록 일치하도록 합니다.

특(特)히 우리와 가장 친절한 손정규(孫貞奎) 선생님은 때때로 생도의 가정을 방문(訪問)하여 생도의 소행(素行)336)과 가정의 훈련이 어떠한 것을 조사합니다. 그리하여 그 생도의 좋은 점과 나쁜 점을 따라서 가르칩니다. 손 선생님은 퍽 친절하고도 엄격합니다. 보통 사람은 너무 친절하면 엄격하지 못하고 너무 엄격하면 친절하지 못합니다. 그러나 우리 손 선생님은 퍽 사랑스럽고도 두렵습니다.

이런 속에서 우리는 차근차근히 배우고 커갑니다.

---

335) 원 표기는 혹상(惑想)으로 되어있으나, 혹상이란 단어는 사전에 실리지 않은 단어이며, 문맥과 한자의 생김새 상 감상(感想)의 오타인 것으로 추측된다.(역자)
336) 소행(素行): 평소의 행실.

편집을 마치고

□ 여러 날 걸린 이 11월(十一月)호 편집이 이제야 끝났습니다. 호는 11월 호지만 이 책을 편집하기는 10월 초승입니다.

□ 10월 호를 쉬게 된 것은 어떻다고 말씀할 수 없이 미안하고 섭섭한 일입니다. 그러나 이렇게 10월 초승에 편집된 것이 11월 늦게야 발행되게 된 까닭은 창간호를 9월 다 늦게야 발행하고 뒤미처 한 것이 어쩌는 수 없이 저절로 10월을 넘어가게 된 것입니다.

□ 이 사정을 짐작해 주시기를 바라오며 다음으론 쉬는 일 없도록 노력하겠습니다.

□ 이번 책에 실은 남녀교제 문제라든지 신화(神話) 상고시대인(上古時代人)의 여성관(女性觀) 같은 것은 주의해 읽어주셔야 될 것이요, 여학생(女學生) 제복(制服) 문제(問題)는 이야말로 진중한 문제이니 여학생은 물론 그 가정 부형께서도 읽으시고 많이 생각해 주시기를 바랍니다.

□ 인자(人子)와 묘자(描子)는 유명한 체호프의 작품으로 퍽 흥미 있는 것인데 두 번 세 번 읽을수록 흥취 깊은 것입니다.

□ 여행기나 원족기 퍽 흥미 있는 것인데 배화나 숙명, 진명의 것은 편집이 기한 안에 되지 못해서 다음 책에 내기로 하였고

□ 여학생으로 이러한 원고를 보내주신 이의 씨명(氏名)은 이번부터 순 국문으로나 혹(或)은 성(姓) 없이 이름만 쓰기로 하였습니다. 이것은 각 학교와 부형 측에서 희망하는 것입니다.

　□ 이번 책도 읽으신 후에 잘잘못을 말씀해 주십시오. 그것을 제일 간절히 바랍니다.

　□ 또 작별입니다. 안녕히 계십시오. 12월 호에서 다시 뵐 때까지!

신여성(新女性)
제일권(第一卷) 제이호(第二號)
정가(定價) 삼십전(三十錢)

1923년 10월 1일 발행기일(大正十二年十月一日 發行期日)
1923년 10월 24일 인쇄(大正十二年十月二十四日 印刷)
1923년 10월 25일 발행(大正十二年十月二十五日 發行)

경성부 경운동 88번지(京城府 慶雲洞 八十八番地)
편집 겸 발행인(編輯 兼 發行人) 박달성(朴達成)

경성부 청수동 8번지(京城府 青水洞 八番地)
인쇄인(印刷人) 민영순(閔泳純)

경성부 공평동 55번지(京城府 公平洞 五十五番地)
인쇄소(印刷所) 대동인쇄주식회사(大東印刷株式會社)

경성부 경운동 88번지(京城府 慶雲洞 八十八番地)
발행소(發行所) 개벽사(開闢社)

전화광 1104번(電話光 一一〇四番)
진체경 8106번(振替京 八一〇六番)

매월1일(每月一日)
월수(月數)　　　/ 정가(定價)　　　　　/ 우세병(郵税337)並)
일개월(壹個月) / 금 300(金 三〇〇)　　/ 우세병(郵税並)
삼개월(三個月) / 금 850(金 八五〇)　　/ 우세병(郵税並)
육개월(六個月) / 금 1600(金 一六〇〇)/ 우세병(郵税並)
일년분(一年分) / 금 3000(金 三〇〇〇)/ 우세병(郵税並)

---

337) 우세(郵税) ゆうぜい: (일본어) 우편 요금의 구칭

시가(詩歌)중심(中心)
금(金) ★ 성(星)
문예(文藝)잡지(雜誌)

창간호(創刊號)

11월(十一月) 1일(一日) 발행(發行) ◎ 연6회 간행(年六回 刊行)

내용(內容)

영원(永遠)의 비밀(祕密) -외2편(外二篇) - 시(詩)

꿈의 예찬(禮讚) - 외2편(外二篇) - 시(詩)

만수산(萬壽山)에서 - 외1편(外一篇) - 시(詩)

낙엽(落葉) - 시(詩)

근대(近代) 불란서(佛蘭西) 시초(詩抄) (뽀들레르) - 역시(譯詩)

사자(獅子)의 아가리 - 소품(小品)

청(靑)개구리 - 동시(童詩)

별똥 - 외1편(外一篇) 동시(童詩)

「신월(新月)」에서 (타고르) - 역시(譯詩)

시(詩)와 만유(萬有) - 시론(詩論)

보라! 시단(詩壇)의 첫 새벽에 나타난 「금성(金星)」의
찬란(燦爛)한 광채(光彩)를!

일부(一部) 정가(定價) 삼십전(三十錢) □ 우세(郵稅) 불요(不要)

발행소(發行所) 경성부(京城府) 인사동(仁寺洞) 삼십(三十)번지(番地) 금성사(金星社)

역자의 변

두 번째 번역을 마쳤습니다. 창간호보다는 글의 한문 사용이 줄어들어 전반적으로 쉬운 듯했으나, 논문과 외국인명이 기재되어 있어 역시 어렵기는 매한가지였습니다.

이번 호에서는 '지당가위'와 '프록코트'에 대해 조사하였습니다. 소리 나는 대로 쓰던 과거의 한글은 글쓴이에 따라 같은 단어도 다르게 표기되었고, 현재 쓰지 않는 단어인 경우도 있어서 뜻 유추가 쉽지만은 않았습니다. 하지만 긴 시간과 노력 끝에 찾은 정보를 조합하여 단어의 의미를 알게 되었습니다. 앎이 주는 즐거움은 번역을 지속할 수 있는 힘의 원천입니다.

신여성 원본을 실물로 보고 싶어 조사하던 중, 고려대학교도서관에서 신여성 원서를 보존 중임을 알 수 있었습니다. 다행히 외부인도 열람이 가능해서 실물을 직접 볼 수 있었습니다. 종이 질 자체는 좋지 않으나 보존상태가 좋아 내용을 모두 확인할 수 있었습니다. 귀중본 자료를 일반 시민에게도 열람할 수 있도록 기회를 제공하는 고려대학교도서관을 보니, 역시 명문대학은 다르다는 것을 느꼈습니다.

이번 호는 여학생의 여행기가 실렸습니다. 경성여고보는 도보로 학교에서 광화문까지 이동했는데, 저는 당시 이 학교와 광화문의 위치가 궁금했습니다. 1920~1930년대 지도와 기사를 많이 찾아보았습니다. 결론은 1923년 광화문은 현재 위치와 같았기에 조사한 정보는 본 호에 싣지 않았습니다. 해당 내용은 언젠가 따로 전해드릴 기회가 있겠지요.

통권 제2권을 번역하면서 창간호에 표기했던 일본인명이 잘못되었음을 깨달았습니다. 이미 출간된 책은 수정이 힘들 듯합니다. 먼저 구입해보신 분들께 죄송하다는 사과 말씀드립니다. 2권은 바로잡아 표기했고, 창간호도 2024년 3월 이후 발간되는 책은 수정하여 출판될 예정입니다. 수정본은 판권지에 수정일을 표기하였습니다. 부족함이 많은 후손이나, 선인께서도 정오 표시를 했기 때문에 누구나 실수는 있음을 위로 삼아봅니다. 그럼 다음 권에서 또 뵙겠습니다.

– 2024. 2. 한요진 드림 –